JEAN-PAUL SARTRE

Situations, X

POLITIQUE
ET AUTOBIOGRAPHIE

GALLIMARD

Il a été tiré de l'édition originale de cet ouvrage trente-cinq exemplaires sur vergé blanc de Hollande Van Gelder numérotés de 1 à 35 et cinquante-cinq exemplaires sur vélin d'Arches Arjomari-Prioux numérotés de 36 à 90.

A Michèle.

I

Textes politiques

LE PROCÈS DE BURGOS

S'il faut en croire la presse, le procès de Burgos n'a fait un tel scandale que pour avoir mis en lumière la férocité absurde du régime franquiste. Je n'y crois pas : la sauvagerie fasciste a-t-elle tant besoin d'être démontrée? N'y avait-il pas eu, depuis 1936, des incarcérations, des tortures et des exécutions un peu partout sur le sol de la péninsule ibérique? Ce procès a troublé les consciences, en Espagne et hors d'Espagne, parce qu'il a révélé aux ignorants l'existence du fait national basque; il est apparu clairement que ce fait, bien que singulier, était loin d'être unique et que les grandes nations renfermaient des colonies à l'intérieur des frontières qu'elles s'étaient données. A Burgos, enchaînés et, pour ainsi dire, bâillonnés, les accusés, au prix d'une bataille de tous les instants, sont parvenus à faire le procès de la centralisation. Coup de tonnerre en Europe : pour ne prendre qu'un exemple, on enseigne aux petits Français que l'histoire de France n'est autre que celle de l'unification de toutes « nos » provinces, commencée sous les rois, poursuivie par la Révolution française, achevée au xixe siècle. Il fallait, me disait-on quand j'étais à l'école, en être fier : l'unité nationale, réalisée chez nous de bonne heure, expliquait la perfection de notre langue et l'universalisme de notre culture.

Quels que fussent nos partis pris politiques, il était
interdit de la remettre en question. Sur ce point, socialistes et communistes se trouvaient d'accord avec les
conservateurs : ils se jugeaient les héritiers du centralisme jacobin et, réformistes ou révolutionnaires, c'était
à l'hexagone pris comme un tout indivisible qu'ils voulaient apporter les bienfaits du nouveau régime. Que
l'absolutisme monarchique soit né tout à la fois du développement des voies et des moyens de communication,
de l'apparition du canon et des exigences « mercanti-
listes » du capital marchand, que la Révolution et le
jacobinisme aient permis à la bourgeoisie au pouvoir
de poursuivre l'unification de l'économie en faisant
sauter les dernières barrières féodales et ethniques et
de gagner des guerres étrangères par une levée en
masse de tous les habitants en âge de porter les armes
sans souci de leur origine ethnique et que le xixᵉ siècle
ait fini le *job* par l'industrialisation et ses conséquences
(l'exode rural, la concentration et l'idéologie nouvelle
ou nationalisme bourgeois), que l'unité présente soit,
somme toute, l'effet du projet séculaire de la classe
actuellement dominante et que celle-ci ait tenté de produire partout, de la Bidassoa à la frontière belge, le
même type d'homme abstrait, défini par les mêmes
droits formels — on est en démocratie! — et les mêmes
obligations réelles sans tenir compte de ses besoins
concrets, personne aujourd'hui n'en a cure : c'est ainsi,
voilà tout, on n'y touchera point. D'où la stupeur de
décembre 70 : le procès était infâme et absurde mais
pouvait-on contester la validité des accusations portées
contre les prisonniers sans, du même coup, tenir au
moins en partie pour valables les objectifs que se propose l'E.T.A.? Bien sûr, le gouvernement espagnol
est fasciste ouvertement et cela brouillait les cartes :
ce que visaient en claire conscience la plupart des pro-
testataires, c'était le régime de Franco. Mais il fallait

soutenir les accusés et l'E.T.A. ne disait-elle pas : nous ne sommes pas seulement contre le franquisme, nous luttons avant tout contre l'Espagne? Telle était la pilule indigeste qu'il fallait avaler. Comment admettre que la nation basque existât de l'autre côté des Pyrénées sans reconnaître à « *nos* » Basques le droit de s'y intégrer? Et la Bretagne alors? Et l'Occitanie? Et l'Alsace? Fallait-il récrire l'histoire de France à l'envers, comme le proposait récemment Morvan-Lebesque et voir dans Du Guesclin, héros du centralisme, un simple traître à la cause bretonne? Le procès de Burgos attirait l'attention sur ce fait nouveau : la renaissance un peu partout de ces tendances que les gouvernements centraux ont pris coutume d'appeler « séparatistes ». En U.R.S.S. beaucoup de républiques, à commencer par l'Ukraine, sont travaillées par des forces centrifuges; il n'y a pas si longtemps que la Sicile a fait sécession; en Yougoslavie, en France, en Espagne, en Irlande du Nord, en Belgique, au Canada, etc., les conflits sociaux ont une dimension ethnique; des « provinces » se découvrent nations et réclament plus ou moins ouvertement un statut national. On s'aperçoit que les frontières actuelles correspondent à l'intérêt des classes dominantes et non aux aspirations populaires, que l'unité dont les grandes puissances tirent tant d'orgueil cache l'oppression des ethnies et l'usage sournois ou déclaré de la violence répressive.

Le renforcement actuel des mouvements nationaux s'explique par deux raisons claires. En premier lieu, la révolution atomique. Morvan-Lebesque rapporte qu'un dirigeant autonomiste de Bretagne, apprenant l'explosion d'Hiroshima, s'était écrié : « Enfin le problème breton existe! » Avant cela, en effet, le centralisme unificateur se justifiait et se renforçait en évoquant la menace que faisait peser sur le pays l'hostilité des pays voisins. Avec l'arme atomique, ce chantage n'est plus

de saison : le centralisme de la guerre froide s'exerce
à partir de Moscou et de Washington sur des nations
et non plus sur des provinces. Du coup, dans la mesure
où ces nations s'inquiètent d'appartenir à l'un ou
l'autre bloc, d'autres nations plus petites et qu'on prétendait intégrées reprennent conscience de leur entité.
La deuxième raison, liée d'ailleurs à la première, je la
trouve dans le processus de décolonisation qui s'est
engagé après la dernière guerre mondiale sur trois
continents. Imaginez un jeune homme né dans le Finistère allant, vers 1960, faire son service au Maghreb.
Il s'agit, lui a-t-on dit, de prêter la main à une opération
de simple police pour réprimer l'agitation folle et coupable de quelques départements français d'outre-
mer. Or voici que les Français, battus, rempochent
la division départementale, se retirent d'Algérie
et lui reconnaissent le statut de nation souveraine. A
quoi correspond, alors, pour le soldat démobilisé, le
fait d'être un habitant du Finistère? Il a vu, à Alger, que
les départements sont des divisions abstraites qui
cachaient là-bas la conquête par la force et la colonisation. Pourquoi n'en serait-il pas de même de l'autre
côté de la Méditerranée, dans ce qu'on appelle la
« Métropole »? Le Finistère — qui n'a d'existence réelle
que pour l'administration — disparaît dans l'abstrac-
tion sous les yeux du jeune homme : celui-ci se sent
breton, rien de plus, rien de moins, et français par droit
de conquête. Va-t-il se résigner à être colonisé? S'il
en était tenté, l'exemple des Algériens et celui des Viêt-
namiens sont là pour le conduire à la révolte. Les vic-
toires du Viêt-nam, surtout, lui apprennent que les
colons avaient habilement limité le champ des possibles
pour lui et ses frères. On lui avait inculqué le défai-
tisme : Français, lui avait-on dit, il pouvait tout puisqu'il avait le droit de vote tout comme un Beauceron;
Breton, il ne pouvait pas même lever un doigt et sûre-

ment pas se dresser contre le pouvoir central qui l'écraserait sur l'heure. Mais, en Indochine, quelques millions de paysans pauvres ont jeté les Français à la mer et luttent à présent victorieusement contre la plus grande puissance militaire du monde capitaliste : cela aussi, c'était *impossible*. Eh bien, non : le champ de ses possibles s'élargit d'un seul coup : si les puissances colonisatrices n'étaient que des tigres aux dents de papier? Fission de l'atome et décolonisation, voilà ce qui exalte dans les « ethnies » conquises un patriotisme original. Cela, au fond, tout le monde le sait; mais beaucoup, en France, en Espagne, au Canada pensent que cette volonté d'indépendance n'est qu'une velléité née de fausses analogies et que les mouvements séparatistes disparaîtront d'eux-mêmes. Or l'exemple du Pays basque est là pour nous apprendre que cette renaissance n'est pas occasionnelle mais nécessaire et qu'elle n'aurait pas même eu lieu si ces prétendues provinces n'avaient eu une existence nationale qu'on a pendant des siècles tenté de leur ôter et qui, obturée, voilée par les vainqueurs, était demeurée là comme le lien historique et fondamental entre leurs habitants et si l'existence de ce lien tacitement reconnu par le pouvoir central, ne rendait pas raison de la situation inférieure de l'ethnie conquise au sein du pays conquérant et, conséquemment, de la lutte farouche que celle-ci mène pour l'autodétermination.

Le fait basque, s'imposant à Burgos dans sa *nécessité*, n'a pas fini d'éclairer Catalans, Bretons, Galiciens, Occitaniens sur leur destinée. Je veux tenter ici d'opposer à l'universalité abstraite de l'humanisme bourgeois l'universalité singulière du peuple basque, de montrer quelles circonstances ont amené celui-ci par une dialectique inéluctable à produire un mouvement révolutionnaire et quelles conséquences théoriques on peut raisonnablement tirer de sa situation actuelle, c'est-

à-dire quelle mutation profonde la décentralisation
peut apporter dès aujourd'hui au socialisme centralisateur.

Si nous nous reportons à l'histoire, sans préjugé
centraliste, il apparaît clairement que l'ethnie basque
diffère en tout des ethnies voisines et qu'elle n'a
jamais perdu conscience de sa singularité, marquée
en tout cas par des caractères biologiques qu'elle a
conservés intacts jusqu'à aujourd'hui et par l'irré-
ductibilité d'euzkara, sa langue, aux langues indo-
européennes. Dès le vii⁰ siècle, le duché de Vasconia
groupe une population de montagnards qui inflige aux
armées de Charlemagne la défaite de Roncevaux. Ce
duché se transforme vers l'an mille en un royaume de
Navarre qui entre en déclin à partir du xii⁰ siècle et
que l'Espagne annexe en 1515. Malgré la conquête et,
sans doute aussi, à cause d'elle, la conscience basque
— ou conscience d'être basque — se renforce. Il faut dire
qu'on sort à peine de l'ère féodale et que la centralisation espagnole est encore hésitante : elle conserve aux
vaincus certains droits qu'ils possédaient au Moyen
Age, les *fueros,* qui demeureront longtemps le bastion
de la résistance basque, que défend le peuple entier.
Que celui-ci ne se contentât pas de cette autonomie
relative, qu'il rongeât son frein et n'eût pas perdu
l'espoir de retrouver l'indépendance, c'est ce que prouve,
au temps où Napoléon refaisait l'Europe, la proposition vainement faite à l'Empereur par un député de
Biscaye : qu'il créât, à l'intérieur de l'Empire, un
État basque indépendant. On sait la suite et que, la
Constitution de 1812 ayant pratiquement supprimé les
fueros, le mouvement nationaliste se fourvoya dans
une aveugle tentative pour restaurer le passé : contre
Isabelle II, plus libérale mais centralisatrice à la française, les forces populaires défendirent le prétendant
absolutiste Don Carlos, autre passéiste mais qui, pour

l'amour du passé, voulait restituer à la Navarre son autonomie féodale. Deux guerres, deux défaites : en 1879, Euzkadi perd ses derniers privilèges et s'enlise dans un traditionalisme bigot qui tourne le dos à l'histoire. Il se réveillera six ans plus tard quand Sabin Mana fondera le P.N.B. (Parti nationaliste basque) qui réunira surtout des bourgeois et des intellectuels : il ne s'agit plus de militer pour l'absolutisme dans l'espoir de reconquérir les *fueros* mais le P.N.B., politiquement progressiste, puisqu'il réclame l'indépendance, et socialement conservateur, demeure en partie passéiste comme le prouve un de ses slogans : « Vieilles lois et souveraineté. » La résistance basque frappait à ce point les Espagnols qu'il y eut plus d'un, à l'époque, pour proposer — comme l'anarchiste Pi y Margall — une solution fédéraliste aux problèmes de la péninsule. Plus tard, pendant la République, le projet fut repris et le gouvernement central reconnut le principe de l'autonomie des régions à condition qu'il fût approuvé, dans un référendum, par 70 % des populations concernées. La haute Navarre, essentiellement rurale et de ce fait attachée au carlisme (les carlistes vont bientôt se battre aux côtés de Franco) vote contre l'autonomie [1]; les trois autres provinces votent pour, à une énorme majorité. Le gouvernement républicain, plus centraliste qu'il n'y paraissait, fait traîner les choses, sans bonne grâce, jusqu'en 36. S'il reconnaît enfin l'autonomie, à cette époque, c'est sous la pression des événements et pour des raisons essentiellement pratiques et même militaires : il s'agissait de se gagner le Pays basque et de s'assurer qu'il résisterait au putsch de Franco par la lutte armée. Aussitôt le gouvernement basque est fondé : trois socialistes, deux libéraux, un communiste, ce qui montre à la fois que l'influence du

1. Il est clair qu'elle refusait non pas l'autonomie mais la République.

P.N.B. s'étend aux couches sociales les plus diverses et qu'il assouplit un peu son conservatisme originel. Les troupes basques, jusqu'en avril 37, défendent farouchement le Guipuzcoa et la Biscaye. On sait la suite : Franco envoie des renforts, fait régner la terreur et bombarde Guernica : 1 500 morts; au mois d'août, c'est la fin de la République d'Euzkadi. A la guerre succède la répression : emprisonnements, tortures, exécutions. Le président Aguirra, chef du P.N.B., se réfugie en France; pendant la Seconde Guerre mondiale, il joue la carte des démocraties, espérant que la chute de Hitler et de Mussolini serait suivie par celle de Franco. On mesure aujourd'hui quelles furent notre honte et sa naïveté : le P.N.B. avait joué son rôle : depuis 45, il ne cesse de décliner. En 47, pourtant — sans doute dans l'intention de mettre les Alliés au pied du mur — il déclenche une grève générale. Les Alliés ne bougent pas et laissent Franco briser la grève par une impitoyable répression. C'est la fin : le parti conserve en Euzkadi un prestige certain parce qu'il est le parti « historique » qui reste à l'origine de l'éphémère République basque. Mais il n'a plus la possibilité d'agir : ses moyens d'action ne correspondent plus à la situation. Les exilés vieillissent, Aguirra meurt. N'importe : nous verrons tout à l'heure comment l'E.T.A. surgit à point nommé pour remplacer le vieux parti bourgeois. Ce bref résumé suffit à montrer qu'Euzkadi, ethnie *récemment* conquise par l'Espagne, a toujours refusé farouchement l'intégration. Si l'on faisait voter les Basques aujourd'hui, je laisse à penser à quelle écrasante majorité ils décideraient de l'indépendance.

Accepterons-nous, pourtant, de dire, comme l'E.T.A., que l'Euskadi est une colonie de l'Espagne? La question est d'importance car c'est dans les colonies que lutte des classes et lutte pour l'indépendance nationale se

confondent. Or, dans le système colonialiste, les pays
colonisés fournissent à bon compte des matières premières et des produits alimentaires à une métropole
industrialisée : c'est que la main-d'œuvre y est sous-
payée. Et l'on ne manquera pas de faire remarquer que
le Pays basque, surtout dans ses provinces de Guipuzcoa et de Biscaye, est depuis le début de ce siècle en
plein développement industriel. En 1960 la consom-
mation d'énergie électrique par habitant et par an est
de 2 088 kW dans les deux provinces, de 650 kW pour
l'Espagne et la Catalogne[1]. La production d'acier
par habitant et par an est de 860 kg en Biscaye, de
450 en Euzkadi, de 45 en Espagne-Catalogne. La répar-
tition de la population active, en Guipuzcoa, s'établit
ainsi : secteur primaire 9,45 %, secteur secondaire
56,80 %, secteur tertiaire 33,75 %; en Biscaye :
8,60 %, 57,50 %, 33,90 %, alors qu'en Espagne-
Catalogne, le secteur primaire emploie 43,50 % des
travailleurs, le secteur secondaire 27,20 % et le tertiaire 29,30 %. Le gonflement considérable des deux
derniers secteurs, joint au fait que, dans ces provinces,
la population rurale, est en constante diminution,
montre assez l'énorme effort du Pays basque pour se
donner une industrie. Le Guipuzcoa et la Biscaye sont,
de ce point de vue, les régions pilotes de la péninsule
ibérique. Ainsi l'on rencontrerait, si colonie il y avait,
ce paradoxe que le pays colonisateur serait pauvre et
surtout agricole au lieu que le pays colonisé serait riche
et qu'il offrirait le profil démographique des sociétés
hautement industrialisées.

A mieux y regarder, le paradoxe n'est qu'apparent :

1. L'Espagne et la Catalogne sont si distinctes, à tout point de vue, qu'il
n'y aurait pas lieu de faire des statistiques communes si les données officielles dont nous nous servons ne les confondaient intentionnellement. Il
va de soi que si l'on nous fournissait des chiffres concernant l'Espagne
seule ils seraient beaucoup plus bas.

Euzkadi peut être prospère mais il ne compte que
2 millions d'habitants; il en avait beaucoup moins en
1515 et, à cette époque, la population était rurale :
la conquête s'est faite parce que les deux pays étaient
de structure homogène et que l'un d'eux était beaucoup
plus peuplé que l'autre. De l'autre côté de la Bidassoa,
la basse Navarre a été systématiquement pillée, ruinée,
dépeuplée par le conquérant français : la colonisation
est plus aisément visible. Il est clair que la léthargie
de l'Espagne pendant les trente premières années du
siècle a permis à l'Euzkadi-Sud de s'assurer une économie florissante de *région,* autour d'un pôle économique,
Bilbao. Mais *à qui* profite cette économie? Voilà la
question. On peut y donner un semblant de réponse en
disant qu'il n'est pas d'exemple qu'un pays conquis
ne paye tribut à son conquérant. Mais il est plus sûr de
consulter les données officielles. Elles nous apprennent
que l'Espagne se livre à un véritable pillage fiscal du
Pays basque. La fiscalité écrase les travailleurs; elle
est, en Guipuzcoa, la plus élevée de toute la péninsule.
Il y a plus : dans *toutes* les provinces qu'il tient pour
espagnoles, le gouvernement dépense plus qu'il ne
perçoit en impôts : 150 % à Tolède; 151 % à Burgos,
164 % à Avila, etc. Les deux provinces industrialisées
du Pays basque [1] paient au gouvernement *étranger* qui
les exploite 4 milliards 338 millions 400 000 pesetas,
l'État espagnol, par contre, dépense en Euzkadi
774 millions de pesetas [2]. Il vole donc 3 milliards
500 000 pesetas environ pour entretenir le désert castillan. Encore faut-il ajouter que la majeure partie
des 774 millions « rendus » vont aux organes d'oppression (administration espagnole ou espagnolisée, armée
d'occupation, police, tribunaux, etc). ou de débasqui-

1. En Navarre, le gouvernement espagnol rend 106 %.
2. Chiffres valables pour une des années 60-70, mais sensiblement
constants d'une année à l'autre.

sation (l'université où l'on n'enseigne que la langue
et la culture espagnoles). Or le problème de l'industrie
basque est, avant tout, celui de la productivité : pour
produire à des prix compétitifs sur le marché mondial,
il faudrait importer des machines modernes : l'État
espagnol, partiellement autarcique, s'y oppose; quant
au crédit madrilène, il est discriminatoire et favorise la
Castille aux dépens de la Biscaye. Pour que Bilbao et
Pasajes s'adaptent au trafic maritime et reçoivent
des bateaux à fort tonnage, il faut les équiper à neuf :
les travaux seraient considérables comme aussi ceux
que réclament les ports de pêche. Rien n'est fait. De
même le réseau ferroviaire, installé autrefois par les
Espagnols, est un lourd handicap : pour aller par le
train de Bilbao à Vitoria il faut faire 137 kilomètres;
par la route 66. Mais l'administration et l'I.N.I. (Ins-
titut national de l'industrie), organe de l'État oppresseur, abritent des bureaucrates ignorants et tatillons,
qui ne comprennent nullement les besoins du pays (en
partie parce qu'ils le considèrent comme une province
espagnole, au moins théoriquement) et empêchent
les aménagements indispensables. Les produits non
compétitifs, l'Espagne se réserve de les absorber. Elle
fait la politique du tarif préférentiel à l'envers : en
empêchant certains coûts de baisser, elle se donne le
privilège de consommer les produits basques sans que
les bénéfices du producteur en soient plus élevés. La
conséquence est inévitable : le revenu *per capita* est
un des plus hauts de la péninsule, ce qui ne veut rien
dire; et le revenu des salariés (85 % de la population
active) est très inférieur à celui des Madrilènes, des
habitants de Burgos, de Valence, etc. Il faut remarquer
d'ailleurs que le taux d'augmentation des salaires a
été, de 1955 à 1967, pour l'Espagne, de 6,3 % par an
et pour Euzkadi de 4,15 %. Ainsi, en dépit de la surin-
dustrialisation du pays, nous retrouvons deux compo-

santes essentielles de la colonisation classique : le
pillage — fiscal ou autre — du pays colonisé et la surexploitation des travailleurs. A cela s'ajoute une troisième
qui n'est que la conséquence des deux premières : le
rythme de l'émigration et de l'immigration. Le gouvernement espagnol a profité des besoins de l'industrialisation pour expédier en Euzkadi les sans-travail de
ses régions démunies. On leur a promis des avantages
(par exemple, ils sont prioritaires pour le logement)
mais, surexploités comme les Basques et sans conscience de classe développée, ils constituent pour le
patronat une masse de manœuvre : on compte 300 à
351 000 immigrants sur une population de 1 800 000
à 2 millions d'habitants. Inversement les Basques des
régions pauvres émigrent. Tout particulièrement les
Navarrais : on compte de 150 000 à 200 000 Basques
à Madrid dont près de 100 000 Navarrais. Cette importante ponction et l'entrée des travailleurs espagnols
dans les régions industrielles peuvent être considérées
comme un début de déstructuration coloniale. Cette
politique constante du franquisme implique évidemment
la complicité des grands patrons de Biscaye et de Guipuzcoa. Ceux-ci, en effet, dès les guerres carlistes,
quand la haute bourgeoisie apparaît à Bilbao, étaient
centralisateurs et libéraux. Depuis quelques années
l'émigration des sièges sociaux des grandes entreprises
à Madrid a commencé. La grosse bourgeoisie ne voit
que des avantages au freinage de la modernisation par
l'incompétence et l'autarcie espagnoles : le vaste marché d'Espagne absorbe les produits non compétitifs à
l'échelle mondiale; le patron est assuré d'un fort pour-
centage de bénéfices sans être obligé à de gros investis-
sements. Étrangers aux véritables intérêts de la nation,
ces « collabos », dont le centralisme finirait par ruiner
l'économie basque, s'excluent eux-mêmes de la communauté et jouent le rôle — classique, lui aussi — de ceux

qu'on a nommés *compradores*. En dernière analyse,
en effet, et dans le cadre du système centralisateur,
ils trouvent leur compte dans un certain malthusia-
nisme. La conclusion est claire : en dépit des appa-
rences, la situation d'un salarié basque est tout à fait
semblable à celle d'un travailleur colonisé : il n'est pas
simplement exploité — comme l'est un Castillan, par
exemple, qui mène la lutte de classes « chimiquement
pure », — mais délibérément surexploité puisque, à
travail égal, son salaire est inférieur à celui d'un ouvrier
espagnol. Il y a surexploitation *du pays* par le gouvernement central avec la complicité des *compradores* qui,
sur la base de cette surexploitation consentie, exploitent
les travailleurs. La surexploitation ne profite pas aux
capitalistes basques, simples exploiteurs surchargés
d'impôts et protégés par une armée étrangère, elle ne
profite qu'à l'Espagne, c'est-à-dire à une société fas-
cisée, soutenue par l'impérialisme américain. Les
classes travailleuses, toutefois, n'ont pas toujours conscience de la surexploitation et beaucoup de salariés
songeaient, hier encore, à s'associer aux revendications
et aux actions des ouvriers madrilènes ou de Burgos,
ce qui les aurait conduits à un centralisme négatif. Il
fallait leur faire comprendre que, dans le cas d'Euzkadi, la question économique et sociale se pose en
termes nationaux : quand le pays ne paiera plus de tribut fiscal à l'occupant, quand ses vrais problèmes se
formuleront et se régleront à Bilbao et à Pampelune
plutôt qu'à Madrid, il pourra du même coup transformer librement ses structures économiques.

Car, il faut le répéter, les Espagnols surexploitent les
Basques *parce que ceux-ci sont basques*. Sans jamais
l'avouer officiellement, ils sont convaincus que les
Basques sont *autres*, ethniquement et culturellement.
Croit-on qu'ils ont perdu le souvenir des guerres car-
listes, de la République de 1936, des grèves de 1947?

S'ils n'en avaient gardé mémoire, mettraient-ils un tel
acharnement à détruire la langue basque? Il est clair
qu'il s'agit ici d'une pratique coloniale : les Français
pendant cent ans se sont efforcés de détruire la langue
arabe en Algérie; s'ils n'y sont pas parvenus, au moins
ont-ils transformé l'arabe littéraire en une langue
morte qu'on n'enseignait plus; ils ont fait de même,
avec des succès divers pour l'euzkara en basse Navarre,
pour le breton en Bretagne. Ainsi, des deux côtés de la
frontière, on essaie de faire croire à une ethnie tout
entière que sa langue n'est qu'un dialecte en train
d'agoniser. En Euzkadi-Sud on en interdit pratiquement l'usage. On défend d'établir des *iskatolas,* on a
procédé à l'élimination des publications en euzkara,
les écoles et l'Université enseignent la langue et la
culture de l'oppresseur; la radio, le cinéma, la télévision,
les journaux expliquent en espagnol les problèmes de
l'Espagne et font la propagande du gouvernement
madrilène; le personnel de l'administration est espagnol
ou espagnolisé : on le recrute par des concours qu'or-
ganisent *en espagnol* des fonctionnaires madrilènes.
Par cette raison — c'est-à-dire parce que l'étranger l'a
ainsi voulu — on dit amèrement à Bilbao : « La langue
et la culture basques ne servent à rien. » Et la presse
inspirée répète volontiers un mot malheureux d'Una-
muno : « La langue basque va bientôt mourir. » Cela
ne suffit pas : dans les écoles, on punit les garçons qui
parlent basque. Dans les villages, on tolère que les
paysans s'expriment en euzkara. Mais qu'ils ne
s'avisent pas de le faire à la ville : un des accusés de
Burgos avait l'autorisation de recevoir dans sa prison
les visites de son père; cette autorisation lui fut retirée
lorsqu'on s'aperçut que celui-ci ne lui parlait qu'en
basque — non certes par provocation mais parce qu'il
ne connaissait pas d'autre langue.
La suppression par force de la langue basque est un

véritable génocide culturel : c'est une des plus vieilles
langues d'Europe. Certes elle est apparue en un temps
où l'économie du continent tout entier était rurale et
si, par la suite, elle ne s'est pas adaptée souplement
à l'évolution de la société, c'est parce que le conquérant espagnol en interdisait l'usage. Pour qu'elle
devienne une langue du XXe siècle — ce qu'elle est partiellement déjà — il suffit qu'on la parle. L'hébreu en
Israël, le breton à Quimper ont rencontré les mêmes
difficultés et les ont résolues : les mêmes Israéliens qui
peuvent discuter entre eux de l'informatique ou de la
fission de l'atome lisent les manuscrits de la mer Morte
comme nous lisons Racine ou Corneille, et Morvan-
Lebesque note que le breton a des mots plus régulièrement formés pour désigner les réalités modernes que le
français, langue « nationale ». Les ressources d'une
vieille langue restée jeune parce qu'on l'a empêchée
de se développer sont considérables. Si le basque rede-
venait l'idiome national d'Euzkadi, il apporterait,
par ses structures propres, toutes les richesses du passé,
une manière de penser et de sentir spécifique et s'ou-
vrirait largement au présent et à l'avenir. Mais ce que
l'Espagnol veut faire disparaître avec celui-ci, c'est la
personnalité basque. Se *faire basque,* en effet, pour
un habitant de Biscaye, c'est parler euzkara : non
seulement parce qu'il récupère un passé qui n'est qu'à
lui mais surtout parce qu'il s'adresse, même dans la
solitude, à la communauté de ceux qui parlent basque.
A Burgos, les dernières déclarations des « accusés »
ont été faites en euzkara; récusant le tribunal espagnol
qui prétendait les juger et ne les comprenait même pas,
ils convoquaient leur peuple tout entier dans la salle.
A l'instant, il y fut, invisible. Le procès-verbal officiel
note à ce propos que les accusés ont tenu des propos
inintelligibles dans une langue « qui paraissait être du
basque ». Merveilleux euphémisme : les juges n'y enten-

daient goutte mais savaient pertinemment de quoi il
s'agissait; pour éviter de paraître s'apercevoir que la
nation de Vasconia avait envahi le prétoire, ils ont
réduit le basque à n'être qu'une langue *probable,* si
parfaitement obscure qu'on ne sait jamais si l'interlocuteur la parle vraiment ou s'il ne prononce pas des
vocables dépourvus de sens. Tel est donc le noyau de
la culture d'Euzkadi et le plus grand souci des oppresseurs : s'ils parvenaient à la détruire, cette langue,
le Basque serait l'homme abstrait qu'ils souhaitent et
parlerait l'espagnol, qui n'est ni n'a jamais été *sa*
langue; mais, comme il ne cesserait pas pour autant
d'être surexploité, il suffirait qu'il prenne conscience
de la colonisation pour qu'euzkara ressuscite. Naturellement l'inverse aussi est vrai : parler sa langue pour un
colonisé, c'est déjà un acte révolutionnaire.

Les Basques conscients d'aujourd'hui vont plus loin
encore lorsqu'il s'agit de définir la culture qu'on
leur donne et celle qu'ils veulent se donner. La culture,
disent-ils, est la création de l'homme par l'homme.
Mais ils ajoutent aussitôt qu'il n'y aura pas de culture
universelle tant qu'on n'aura pas détruit l'oppression
universelle. La culture officielle, en Euzkadi, est aujour-
d'hui universaliste en ceci qu'elle veut faire du Basque
un homme universel, dépourvu de toute idiosyncrasie
nationale, un citoyen abstrait semblable en tout point
à un Espagnol, sauf en ceci qu'il est surexploité et ne
le sait pas. En ce sens, elle n'a d'autre universalité que
celle de l'oppression. Mais les hommes, pour opprimés
qu'ils soient, n'en deviennent pas pour autant des
choses : ils se font, tout au contraire, la négation des
contradictions qu'on leur impose. Non d'abord par
volonté mais parce qu'ils sont dépassement et projet.
Ainsi des Basques qui ne peuvent manquer d'être
d'abord la négation de l'homme espagnol qu'on a mis
en chacun d'eux. Négation non pas abstraite mais minu-

tieuse, au nom de tout ce qu'ils trouvent de singulier
en eux-mêmes et dans leur environnement. En ce sens
la culture basque doit être aujourd'hui d'abord une
contre-culture : elle se fera par la destruction de la
culture espagnole, le refus de l'humanisme universaliste des pouvoirs centraux, l'effort considérable et
constant pour se réapproprier la réalité basque qui
est à la fois donnée sous les yeux — c'est aussi bien le
paysage, l'écologie, les traits ethniques que la littérature en euzkara — et travestie par l'oppresseur en fol-
klore innocent et périmé pour touristes étrangers. C'est
pourquoi ils ajoutent cette troisième formule : la culture
basque est la *praxis* qui se dégage de l'oppression de
l'homme par l'homme en Pays basque. Cette *praxis*
n'est pas tout de suite consciente de soi et voulue : c'est
un travail quotidien, provoqué directement par l'ab-
sorption de la ration de culture officielle, pour retrouver le concret, c'est-à-dire non pas l'homme en général
mais l'homme basque. Et ce travail, inversement, doit
déboucher sur une *praxis* politique car l'homme basque
ne peut s'affirmer dans sa plénitude que dans *son* pays
redevenu souverain.

Ainsi, par une dialectique inexorable, la conquête,
la centralisation et la surexploitation ont eu pour résultat de maintenir et d'exaspérer en Euzkadi la revendication de l'indépendance par les efforts mêmes que
l'Espagne a faits pour la supprimer. Nous pouvons tenter, à présent, de déterminer les exigences précises de
cette situation concrète, c'est-à-dire la nature de la
lutte qu'elle réclame aujourd'hui du peuple basque. Il
existe, en effet, deux types de réponses à l'oppression
espagnole, toutes deux inadéquates. Pour leur donner
une chair et une figure, nous dirons que l'une est celle
du P.C. d'Euzkadi et l'autre celle du P.N.B.

Le P.C. tient l'Euzkadi pour une simple dénomina-
tion géographique. Il prend ses ordres à Madrid, du

P.C.E., et ne tient pas compte des réalités locales, en
sorte qu'il demeure centraliste — entendons socialement progressiste et politiquement conservateur : il
tente d'entraîner les travailleurs basques vers la lutte
de classes « chimiquement pure ». C'est oublier qu'il
s'agit d'un pays colonisé, c'est-à-dire surexploité.
Le P.C. ne comprend pas — en dépit de quelques déclarations opportunistes en faveur de l'E.T.A. lors du procès de Burgos — que les actions qu'il propose ont des
objectifs inadéquats et, du coup, sans portée. Si les
Basques se mettent à lutter contre l'exploitation pure
et simple, ils abandonnent leurs propres problèmes
pour aider les travailleurs espagnols à renverser la
bourgeoisie franquiste. C'est se débasquiser soi-même
et se borner à réclamer une société socialiste pour
l'homme universel et abstrait, produit du capitalisme
centralisateur. Et quand cet homme-là sera au pouvoir
à Madrid, quand il possédera ses instruments de travail, les Basques peuvent-ils compter sur sa reconnais-
sance pour se voir *octroyer* l'autonomie? Rien n'est
moins sûr : on a vu que la République s'était fait tirer
l'oreille; et les pays socialistes sont, aujourd'hui, volontiers colonisateurs. Contre la surexploitation et la débas-
quisation qui en est la conséquence, les Basques ne
peuvent combattre que *seuls*. Cela ne veut pas dire
qu'ils n'auront pas d'alliances tactiques avec d'autres
mouvements révolutionnaires quand il s'agira d'affai-
blir la dictature de Franco. Mais stratégiquement, il
leur est impossible d'accepter une direction commune :
leur lutte se fera dans la solitude car ils la mènent contre
l'Espagne — et non contre le peuple espagnol — par la
raison qu'une nation colonisée ne peut mettre fin à la
surexploitation qu'en se dressant, souveraine, contre
le colonisateur.

Inversement, le P.N.B. a tort de considérer l'indépendance comme une fin en soi. Formons, dit-il, une

République basque d'abord; nous verrons ensuite s'il y a lieu d'apporter des aménagements à notre société. Mais si, par impossible, il parvenait à constituer un État basque de type bourgeois, il est vrai que la surexploitation espagnole prendrait fin mais il ne faudrait pas longtemps pour que cet État tombe sous le coup du capitalisme américain. Tant que la société garderait une structure capitaliste, on peut bien penser que les *compradores* se vendraient aux plus offrants : les capitaux étrangers submergeraient le pays, les États-Unis le gouverneraient par l'intermédiaire de la bourgeoisie locale, le néo-colonialisme succéderait à la colonisation et, pour être plus masquée, la surexploitation n'en subsisterait pas moins. Seule une société socialiste peut, non sans de grands risques [1], établir des relations économiques avec les nations capitalistes et socialistes par la raison qu'elle contrôle son économie rigoureusement.

L'insuffisance de ces deux réponses (P.C. — P.N.B.) montre bien qu'indépendance et socialisme sont, dans le cas d'Euzkadi, les deux faces d'une même médaille. Ainsi la lutte pour l'indépendance et la lutte pour le socialisme ne doivent faire qu'un. S'il en est ainsi, il va de soi que c'est à la classe ouvrière, de loin la plus nombreuse, nous l'avons vu, de prendre la direction du combat. Le travailleur manuel, en prenant conscience de la surexploitation, donc de sa nationalité, comprend du même coup sa vocation socialiste. Dirons-nous qu'il y est déjà parvenu? C'est une tout autre affaire, dont nous reparlerons plus loin. D'autre part la situation d'un pays colonisé fait que, dans les classes moyennes, des groupes importants refusent la dépersonnalisation culturelle sans toujours se rendre compte des consé-

1. Pour marquer l'importance de ces difficultés, je citerai ce seul exemple : les rapports de Cuba et de l'U.R.S.S.

quences sociales qu'implique ce refus. Ils sont, en principe, les alliés du prolétariat; un mouvement révolutionnaire et conscient de sa tâche, dans une colonie,
ne doit pas s'inspirer du principe « classe contre classe »
qui n'a de sens que dans une métropole, mais, au
contraire, accepter le principe de la petite bourgeoisie
et des intellectuels à la condition que les révolutionnaires issus des classes moyennes se rangent sous l'autorité de la classe ouvrière. On voit que le travail à faire,
pour commencer, consiste en un éclaircissement pro-
gressif et double : le prolétariat doit prendre conscience
de sa condition de colonisé et les autres classes, plus
aisément nationalistes, doivent comprendre que le
socialisme est, pour une nation colonisée, le seul accès
possible à la souveraineté.

A ces raisons, qui ont fait évoluer en cent cinquante
ans le Parti de l'indépendance et, changeant son recru-
tement, ont transformé sa réclamation passéiste de
recouvrer les *fueros* au sein d'un État absolutiste en
l'exigence, ouverte sur l'avenir, de construire une
société souveraine et socialiste, il faut en ajouter une
autre, propre à la péninsule ibérique, qui donne un
caractère particulier à la lutte des Basques. En effet,
l'unification centralisatrice, comme en Italie et en
Allemagne, ne s'est achevée qu'au xxᵉ siècle et, par
cette raison, elle a pris la forme d'une dictature fasciste, c'est-à-dire d'une réponse par la violence nue et
folle aux « séparatistes ». Dans deux de ces trois pays,
le fascisme n'est plus au pouvoir; Franco, lui, est resté
le Caudillo de l'Espagne. C'est ce qu'exprimait un
Basque qui disait devant moi : « Nous avons l'horrible
chance du franquisme. » Horrible, certes, dira-t-on;
mais pourquoi « chance »? C'est que, si le régime espagnol était une démocratie bourgeoise, la situation
serait plus ambiguë : le pouvoir temporiserait et, de
fausses promesses en atermoiements, renverrait les

« réformes » aux calendes. Cela suffirait, sans doute, pour créer chez les Basques une importante faction réformiste qui serait l'alliée du gouvernement oppresseur et n'attendrait de lui qu'un statut fédéraliste et *octroyé*. L'aveugle brutalité du franquisme a, dès 1937, dénoncé la sottise de l'illusion réformiste. A toute revendication exprimée, une seule réponse, aujourd'hui : la répression sanglante. Comment s'en étonner, puisque le régime est fait pour cela? Mais il faut ajouter que ce régime est la *vérité* de l'Espagne colonisatrice. Quelle que puisse être la forme du gouvernement espagnol, on sait que l'Espagne centralisée refuse profondément le « séparatisme » basque et qu'elle est prête, à la limite, à noyer toute révolte d'Euzkadi dans le sang. Les Espagnols, dans la mesure où ils sont eux-mêmes fabriqués par l'idéalisme centralisateur, sont des hommes abstraits et croient qu'il en va de même, à part une poignée d'agitateurs, pour les habitants de toute la péninsule. Le croient-ils *de bonne foi?* Certes non : ils savent que l'Euzkadi existe mais veulent se le cacher; c'est dire qu'ils enragent quand les Basques s'affirment et qu'ils vont jusqu'à les haïr en tant que Basques, c'est-à-dire en tant qu'hommes concrets. Plus profondément, les hommes au pouvoir n'ignorent pas que la fin du régime colonial en Euzkadi entraînerait aussitôt l'accroissement de la misère en Castille et en Andalousie. En sorte que même une République en viendrait en dernier recours à ce par quoi le franquisme a commencé. La « chance » que représente pour les Basques le gouvernement de Franco, c'est qu'il montre sans fard la vraie nature du colonialisme : celui-ci ne discute pas; il opprime ou il tue. Puisque la violence répressive est inévitable, il n'y a d'autre issue pour les colonisés que d'opposer la violence à la violence. La tentation réformiste étant hors de question, le peuple basque ne peut que se radicaliser : il sait, à présent, que l'indépendance ne s'obtiendra que par la lutte armée. Le procès de Burgos, sur ce point, est clair; en affrontant les Espagnols, les « accusés » savaient ce qu'ils risquaient : l'emprisonnement, les tortures, l'exécution capitale. Ils le savaient et ils se battaient non dans l'espoir de jeter dehors tout de suite les oppresseurs mais pour contribuer à la constitution d'une armée clandestine. Si le P.N.B. est à son crépuscule, c'est faute d'avoir compris que, face aux troupes fascistes, les Basques n'ont d'autre issue que la guerre populaire. L'indépendance ou la mort : ces mots qui se disaient hier à Cuba, en Algérie, aujourd'hui c'est en Euzkadi qu'on les répète. La lutte armée pour un Euzkadi indépendant et socialiste, voilà l'exigence complète de la situation actuelle. C'est cela ou la soumission — qui est impossible.

De 1947 à 1959, cette exigence demeure vide et nue : rien, en apparence, ne vient la remplir : en vérité elle travaille la population basque, surtout les jeunes gens et, dès 1953, tout commence. E.K.I.N., fondé cette année-là, est un groupe d'intellectuels, encore peu conscients du véritable problème basque dans sa tragique simplicité mais comprenant la nécessité de recourir à une action nouvelle et radicale. Il est bientôt contraint d'entrer au P.N.B., encore puissant bien que paralysé, mais s'y distingue par ses positions extrémistes au point que, peu de temps après, un des siens étant exclu pour « communisme », le groupe entier se solidarise avec lui et quitte le Parti nationaliste, convaincu désormais par expérience que la lutte entreprise par le vieux Parti, payante en 36, était tombée, depuis la fin de la guerre et la trahison des démocraties bourgeoises, au rang d'un pur verbalisme. En 59, il est le noyau d'un nouveau parti, l'actuel E.T.A. Au départ, avant même d'avoir pris une position théorique, l'E.T.A. prend acte de deux tendances qui écartèlent

le pays : la revendication nationaliste et la révolte
ouvrière; dès 60 il comprend, dans la pratique quotidienne, que les deux luttes doivent être associées,
éclairées l'une par l'autre et menées conjointement
par les mêmes organisations. C'est déchiffrer lentement
mais sûrement et *pratiquement* les exigences de la
situation présente. Il a pris les choses par le bon bout
comme le prouvent les crises violentes qu'il traverse
dans les années 60 : sa droite « humaniste » le quitte;
une gauche « universaliste » est exclue après l'avoir
sommé d'abandonner la lutte anticolonialiste pour
mener, avec les ouvriers espagnols, la lutte des classes
« chimiquement pure ». Ces départs définissent sa ligne
mieux que n'eussent fait cent écrits théoriques. Après
ces purges, dès 68, l'E.T.A. entreprend, malgré tout,
de se définir théoriquement : à ce niveau, ses principes
sont déjà donnés, ils se sont constitués dans la lutte
interne du groupe contre sa droite et une certaine
gauche centraliste et ne sont rien d'autre, d'ailleurs,
que les exigences objectives de la situation, progres-
sivement découvertes. L'E.T.A. organise alors quatre
fronts de combat : front ouvrier, front culturel, front
politique, front militaire qui fonctionnent en même
temps et sous une direction commune mais restent
distincts. Sur le front ouvrier, la lutte consiste en 69
dans une approche des travailleurs manuels, souvent
réticents, et dans l'organisation d'un noyau d'avant-
garde au sein de la classe ouvrière. Sur le front culturel,
l'E.T.A. mène l'attaque contre le « chaînon le plus
fragile », qui est l'universalisme déshumanisant du
gouvernement d'oppression : dès à présent, il a créé
des *iskatolas,* écoles maternelles et primaires où l'enseignement se fait exclusivement en langue basque
et que 15 000 enfants fréquentaient en 68-69; il a
lancé une campagne d'alphabétisation pour adultes,
créé des comités d'étudiants qui revendiquent active-

ment (manifestations, grèves, occupations) la création d'une Université basque, lancé sur le pays des artistes basques (écrivains, chanteurs, peintres et sculpteurs) qui vont jusque dans les villages pour y faire des expositions et y donner des représentations (chansons populaires, théâtre dans la rue, bien connu chez nous sous le nom de théâtre direct); depuis 66 il a organisé des écoles sociales où le marxisme-léninisme est enseigné aux travailleurs. Sur le front politique, qui est en étroite liaison avec le front militaire, l'E.T.A. politise le peuple basque tout entier en lui montrant le scandale de la répression. C'est ce qui explique le sens actuel de la lutte armée qui n'a point encore pour but de chasser l'oppresseur, mais de mobiliser les Basques pour la constitution progressive d'une armée clandestine de libération [1]. La tactique actuelle peut se définir comme une spirale, dont les différents moments sont : action, répression, action, chaque action entraînant une répression plus sauvage qui montre à visage découvert le fascisme centralisateur et qui, ouvrant les yeux à des couches de plus en plus larges de la population, permet, à chaque fois, d'entreprendre une action plus importante. On ne peut donner un meilleur exemple de cette forme de lutte que l'enchaînement dialectique des événements qui trouve son aboutissement provisoire au procès de Burgos. D'un bout à l'autre du processus l'E.T.A. a imposé son jeu et sort gagnante de l'épreuve : voilà qui démontre la valeur de sa tactique. Au commencement, pourtant, elle n'était pas présente : après les massacres de 36 et la répression de 37, la lourde paix

---

1. Cependant, et depuis le mois d'août 1970, une nouvelle tendance prônerait une démilitarisation partielle de l'E.T.A. en faveur d'une action politique des travailleurs du Pays basque : selon les militants de cette tendance, la militarisation totale, par la clandestinité absolue qu'elle exige, risque d'isoler l'Organisation des masses ouvrières et d'aller ainsi à l'encontre du but poursuivi.

franquiste tombe sur le Pays basque et l'écrase. Contre
cette oppression répressive, nous avons vu le P.N.B.
organiser une action : la grève de 47. Cette action sans
portée réelle entraîne une répression terrible qui a pour
résultat de disqualifier le P.N.B. Mais c'est justement à
partir de cet échec que la nouvelle génération prend la
relève et comprend la nécessité de passer à la lutte
armée. L'E.T.A. marque son existence, dès 61, par une
première action de type militaire : des bombes rudi-
mentaires explosent un peu partout, on tente le sabotage
d'un convoi ferroviaire. Cette dernière entreprise est
manquée, faute d'expérience, mais elle entraîne une
répression brutale : cent trente militants sont arrêtés.
Ainsi le cycle infernal — action, répression, action —
est mis en place. Pendant quelques années, pourtant,
les « forces de l'ordre » sont gênées : l'E.T.A. est insai-
sissable, les attentats à la bombe se poursuivent sur
tout le territoire. Ce n'est qu'au printemps 68 que le
Chef supérieur de la Police peut publier un communiqué
dans la presse de Bilbao : « La guerre chaude contre
l'E.T.A. est déclarée. » De fait la chasse à l'homme
commence, ce qui n'empêche pas, quelques jours plus
tard, une bombe d'éclater sur la grand-route, barrant
le passage aux cyclistes du « Tour d'Espagne » (« qu'ils
passent par ailleurs, ils n'ont rien à faire chez nous »).
Au mois de juin, un garde civil est trouvé mort sur la
chaussée. Quelques heures plus tard, d'autres gardes
civils, à un barrage de route, tirent sans motif sur un
« suspect » et le tuent. C'était Javier Echebarrieta, un
des dirigeants de l'E.T.A. Aussitôt la répression s'étend
de l'organisation clandestine à la population : partout
l'administration interdit de célébrer des messes à la
mémoire d'Echebarrieta et réussit le beau coup d'indi-
gner les curés de village et d'indisposer les campagnes.
Dès lors, la répression élargie appelle une riposte qui
puisse exalter le peuple dans ses profondeurs : trois

mois plus tard le policier Manzanas, figure sinistre et
bien connue des Basques, qui torturait en Euzkadi
depuis trente ans, sera exécuté devant la porte de son
appartement. Cette action déchaîne, comme prévu, une
répression abjecte et sauvage; surtout elle oppose franchement le peuple basque dans son ensemble et le
gouvernement d'oppression. Celui-ci ne peut accepter
que *ses* représentants soient liquidés : il est contraint
de trouver des coupables, de faire un procès et de
réclamer plusieurs condamnations à mort; mais comme
la « victime » était un bourreau, la majeure partie du
pays ne peut désapprouver cette liquidation, qui n'est
qu'un châtiment. Le pouvoir tombe dans une contradiction dont il ne sortira pas : selon son optique, dont il
ne peut changer, il faut intimider par des sanctions.
Mais la publicité du procès montre à tous qu'il s'agit
d'une parodie de justice; les accusés ont été choisis
parmi les prisonniers au hasard ou, pour décapiter
l'E.T.A., entre ceux qu'on croit en être les dirigeants;
dans ces conditions, l'instruction ne pouvait être qu'une
farce bouffonne : il n'y avait, comme on verra, aucune
preuve contre Izco qui, pourtant, sera condamné à
mort. Le tribunal est militaire alors que plusieurs des
« accusés » avaient déjà été condamnés pour les mêmes
faits ou des faits semblables par un tribunal civil. Les
juges sont des officiers qui ignorent tout de la loi, un
seul mis à part, qui doit avoir des connaissances juri-
diques pour conseiller ces soldats; les avocats, sans
cesse menacés de prison par le président, peuvent diffi-
cilement se faire entendre. Les « accusés » enchaînés
les uns aux autres, calmes et méprisants, ont livré une
bataille de tous les instants, non pour se défendre
contre les accusations de leurs oppresseurs mais pour
révéler, devant les journalistes, les tortures qu'ils
avaient subies : à quoi le président, quand il n'avait pu
les faire taire, répondait inévitablement par un « *No*

interesa ». Il devint évident pour les représentants de
la presse que ces militaires ne s'étaient pas réunis pour
juger mais pour tuer — en observant, toutefois, un
cérémonial absurde et qu'ils connaissaient mal. Les
« inculpés », pour finir, mirent à nu la violence répressive de l'Espagne, en interdisant à leurs avocats de les
défendre. Ils avaient gagné : leur admirable courage et
l'obtuse bêtise de leurs « juges » avaient enfin fait de
leur procès pour tous les Basques une affaire nationale.
Lorsque, dans de grandes entreprises, à Bilbao, les
travailleurs se mirent en grève, l'E.T.A. comprit qu'il
avait touché de larges couches de la classe ouvrière. De
plus, dans le monde entier, l'indignation fut si grande
que, pour la première fois, la question basque est posée
devant l'opinion internationale : Euzkadi s'est fait
connaître partout comme un peuple martyr en lutte
pour son indépendance nationale. Ultime action, née
de la répression : la colère générale a fait reculer le
gouvernement espagnol; les peines de mort ont été
commuées. L'E.T.A., par la réussite inespérée mais
nécessaire de sa tactique, s'est affirmé dans son pays,
comme l'aile marchante de la classe ouvrière. Il a,
dans toute la nation mobilisée, acquis un prestige considérable, celui-là même qu'avait le P.N.B. vingt-cinq ans
auparavant. Ses militants savent bien que la lutte sera
longue, qu'il faudra, disent-ils, « vingt ou trente ans
pour constituer l'armée populaire »; n'importe, à Burgos, en décembre 70-janvier 71, le coup d'envoi a été
donné.
Nous en sommes là : à nous, Français, qui sommes
toujours un peu — même si nous ne le voulons pas — les
héritiers des Jacobins, un peuple héroïque, conduit par
un parti révolutionnaire, nous a fait entrevoir un *autre*
socialisme, décentralisateur et concret : telle est l'universalité singulière des Basques, que l'E.T.A. oppose
justement au centralisme abstrait des oppresseurs. Ce

socialisme-là peut-il valoir pour tous? N'est-il qu'une
solution provisoire pour les pays colonisés? En d'autres
termes, peut-on envisager qu'il s'agit de la fin ultime ou
d'une étape vers le moment où, l'exploitation universelle
ayant pris fin, les hommes jouiront tous, au même titre,
de l'universalité vraie, par un dépassement commun de
toute singularité? C'est le problème des colons. On peut
être sûr que les colonisés, luttant pour leur indépendance, n'en ont aucun souci. Ce qui est certain, aux
yeux des militants basques, c'est que le droit des
peuples à l'autodétermination, affirmé dans sa plus
radicale exigence, implique un peu partout la révision
des frontières actuelles, résidus de l'expansion bourgeoise qui ne correspond nulle part aux besoins populaires, ce qui ne peut se faire que par une révolution
culturelle qui crée l'homme socialiste sur la base de sa
terre, de sa langue et même de ses mœurs rénovées.
C'est à partir de là seulement que l'homme cessera peu
à peu d'être le produit de son produit pour devenir
enfin le fils de l'homme. Dirons-nous ces conceptions
marxistes? On note sur ce point quelques hésitations
chez les dirigeants de l'E.T.A. puisque certains se disent
« néo-marxistes » et d'autres — en majorité, semble-t-il
— « marxistes-léninistes ». C'est l'expérience quotidienne de la lutte qui décidera. Guevara me disait un
jour : « Nous, marxistes? Je n'en sais rien. » Et il ajou-
tait, avec un sourire : « Ce n'est pas notre faute si la
réalité est marxiste. » Ce que l'E.T.A. nous révèle c'est
le besoin qu'ont *tous* les hommes, même centralisateurs,
de réaffirmer leurs particularités contre l'universalité
abstraite : écouter les voix des Basques, des Bretons,
des Occitaniens et lutter à leurs côtés pour qu'ils
puissent affirmer leur singularité concrète, c'est, par
voie de conséquence directe, nous battre aussi, nous,
Français, pour l'indépendance véritable de la France,
qui est la première victime de son centralisme. Car il

y a un peuple basque et un peuple breton mais le jacobinisme et l'industrialisation ont liquidé notre peuple : il n'y a plus, aujourd'hui, que des masses françaises.

Préface au Procès de Burgos
de Gisèle Halimi, Éditions Gallimard, 1971.

LES MAOS EN FRANCE

Je ne suis pas mao. C'est pour cette raison, je pense, qu'on m'a demandé de présenter ces enquêtes. Dans la plupart d'entre elles, des militants portent un témoignage qui, bien qu'objectif, reste intérieur à leur groupe. Peut-être vaut-il mieux, puisqu'on s'adresse au grand public, présenter d'abord les maos du dehors, tels qu'ils apparaissent à leurs amis. Je dirai ici les trois caractères qui m'ont frappé quand j'ai fait la connaissance de certains d'entre eux et qui me frappent encore en lisant ce recueil d'interviews.

Un socialiste ne peut être que violent car il se propose une fin que la classe dirigeante refuse absolument : cette idée semblait acquise vers 1950. Khrouchtchev vint et jeta les bases de la « coexistence pacifique », ce qui revenait à privilégier le révisionnisme. Puis, chez nous, de Gaulle prit le pouvoir et les partis de gauche s'écrasèrent. De violence, personne ne parlait plus. La gauche se tenait coite, dans l'attente qu'une victoire électorale lui donnât paisiblement le pouvoir. Dans les années 60, on ne pouvait plus rappeler le sain principe de la violence révolutionnaire sans se faire traiter d'intellectuel aventuriste : 58-68, des années dont on doit parler modestement. Et puis la violence se démasqua et fit rage sur tout le territoire. A vrai dire ni les étudiants ni les ouvriers ne commencèrent : ils firent connaître un peu confusément des revendications majeures dont la bourgeoisie ne voulait pas entendre parler et devinrent à l'instant les objets de la violence flicarde. Par là, on les mit au fait de leur propre violence : ils découvrirent que la vieille société bourgeoise était foutue et ne se protégeait de la mort que par la matraque des flics. Trahi, le mouvement parut s'arrêter. Non sur un échec : il n'avait jamais été question de prendre le pouvoir, *cette fois-là,* sauf pour quelques politiciens qui ne s'étaient pas battus. Quand la violence sembla prendre fin, il y eut des groupes pour tenter de la conserver en eux et de la ranimer dans les masses. Les maos sont les premiers de ceux-là; ils adoptèrent d'emblée la formule de Mao Tsé-toung : « Le pouvoir est au bout du fusil. » Il n'y avait pas de fusils, ce qui veut dire que les masses, en France, n'étaient pas parvenues au stade de la lutte armée. N'importe, les maos, très conscients de la longue marche qu'ils avaient à faire, voulurent d'abord ressusciter la violence révolutionnaire par des actions ponctuelles et efficaces, plus ou moins symboliques, et non la remettre en sommeil comme les partis de gauche et les syndicats. Ils renouaient avec une vieille tradition qui avait subi, durant une décennie, une éclipse apparente. Ils ne furent d'abord qu'actifs, sans rien demander, et surtout sans faire la théorie de leur action; ils savaient et acceptaient la conséquence nécessaire de cette pratique : puisqu'ils voulaient renverser la bourgeoisie par la force, ils allaient tomber, tôt ou tard, sous le coup de l'arsenal des lois bourgeoises. C'est ce qu'ils m'apprirent, ou plutôt me réapprirent, d'abord : il n'était plus temps de signer des pétitions, ni de pérorer devant les foules dans un meeting autorisé (puisqu'on en interdit beaucoup, il y a toujours lieu de se demander pourquoi celui-ci, qu'on va tenir, est permis par les autorités); un révolutionnaire est voué à l'action illégale.

Ils allèrent plus loin encore : quand ils me demandèrent de prendre la direction de *La Cause du peuple,* ils tentèrent — on verra qu'ils y réussirent — de démontrer que, bien qu'ils assumassent leur illégalité, le gouvernement ne pouvait tenter de leur appliquer les lois répressives de la bourgeoisie sans se mettre lui-même hors la loi, hors *sa* loi. Le jour du procès de Le Dantec et de Le Bris, anciens directeurs du journal, Marcellin crut frapper un grand coup en dissolvant la Gauche prolétarienne, acte de bravoure qu'il accompagna de quelques propos d'un cynisme maladroit : je dissous la G.P. parce que ses militants vont *forcément* tenter de la reconstituer et je pourrai les mettre en prison. Il se trompait : les maos prévoyaient la chose depuis longtemps et ne songèrent pas à reconstituer leur groupuscule mais, au contraire, à s'élargir, à accéder à d'autres secteurs; les formes d'actions liées à la G.P. avaient, d'après eux, rempli leur tâche et fait leur temps. Restait *La Cause du peuple :* Marcellin décida que c'était l'organe de la G.P. La publier, c'était donc reconstituer une ligue dissoute. Pendant le procès de Le Dantec, le procureur — c'est-à-dire le porte-parole du ministre de l'Intérieur — réclama du magistrat que celui-ci suspendît le journal pour un an. Manque de bol : celui-ci, jugeant sans doute en avoir trop fait, refusa. *La Cause du peuple,* n'étant pas interdite, pouvait continuer à paraître. Cependant, dès juin 70, le gouvernement prit l'habitude de faire saisir les numéros chez l'imprimeur sans même qu'un juge, pour justifier légalement la saisie, ait prit connaissance de leur contenu. Il se mettait donc délibérément hors la loi. De fait, Geismar, en automne 68, avait eu l'intention de publier un bulletin où « les masses informeraient les masses » de l'oppression en tel ou tel secteur ainsi que des actions qu'elles y avaient entreprises, de façon que les luttes concrètes ne pussent jamais, faute d'informations, se croire iso-

lées. Le projet n'aboutit pas mais c'est lui qui fut repris
par la suite sous le nom de *Cause du peuple*. Ainsi, ce
journal qu'on voulait supprimer appartenait à tout le
monde et à personne en particulier. Les articles éma-
naient pour la plupart d'ouvriers et de paysans qui
racontaient leurs grèves, leurs sabotages, les occupations de terres de cumulards, soit sous forme d'interviews soit en prenant la plume eux-mêmes. Leur langage
n'était pas celui d'un parti mais celui du peuple; elle
venait du peuple, la violence qui s'y faisait jour. Comme
on se débrouillait pour sauver des dizaines de milliers
d'exemplaires qu'on envoyait sur toute la France, Marcellin, incapable d'empêcher la sortie du journal et ne
voulant pas — comme il l'aurait dû, selon la loi — inculp-
per son troisième directeur, fit arrêter, à Paris et en
province, les vendeurs et les distributeurs qu'il tradui-
sit, par méfiance de la correctionnelle, devant un tribunal d'exception, la Cour de Sûreté de l'État, qui fit
tout ce qu'il voulait : allant même, la plupart du temps,
jusqu'à assortir les condamnations de la privation illimitée des droits civiques. Elle en vint à donner des peines
de prison ferme à des jeunes gens qu'on avait trouvés
porteurs de *deux* exemplaires du même numéro. Pendant ce temps « Les Amis de la Cause du peuple » la
distribuaient impunément dans les rues de Paris.

Après avoir lutté longtemps et accumulé les entorses
à la loi, le gouvernement se rendit compte que, représentant la loi bourgeoise, il ne pouvait poursuivre ces
pratiques illégales. Un beau jour, il retira ses flics qui,
depuis des mois, assiégeaient les imprimeurs, et l'on vit
brusquement *La Cause du peuple* aux kiosques des journaux. A côté de *France-Soir* et de *L'Humanité*, elle
parut aussi illégale que les mois précédents quand elle
était interdite : ses articles brutaux, bruts, simplistes
mais vrais, c'était la voix populaire et voilà justement ce
que les lecteurs bourgeois ne pouvaient supporter : ils

apprenaient que les masses refusaient violemment l'esclavage, c'est-à-dire la société d'exploitation tout entière. La bourgeoisie ne pouvait entendre cette voix : elle tolérait que les révisos *lui* parlent *des* masses mais non pas que celles-ci *se* parlent sans se soucier de savoir si elle les écoutait. Au bout du compte, la preuve était faite : *La Cause du peuple* était opposée *par nature* à la légalité de la société capitaliste, mais le gouvernement ne pouvait tenter la moindre démarche pour la mettre hors la loi sans s'y mettre lui-même. Entre la classe dominante et les masses, les maos l'avaient montré, les seuls rapports étaient des rapports de force.

Alors, diront les révisos, les maos croient à la spontanéité des masses, bobard dont Lénine a depuis longtemps fait justice? Ils méritent vraiment leur surnom de mao-spontex? A cette accusation, l'interview de Jean, que vous lirez ici, donne sa véritable portée. Jean était, en 68, « établi » à Contrexéville. Les conditions de travail étaient épouvantables : ils appelaient l'usine : « Buchenwald ». Mais, d'un autre côté, depuis douze ans qu'elle existait, il n'y avait jamais eu de grève : la terreur. Les forces atomisantes agissaient constamment sur les ouvriers et les sérialisaient. Un ensemble est dit sériel quand chacun de ses membres, bien que voisin de tous les autres, demeure seul et se définit par la pensée du voisin en tant que celui-ci pense *comme les autres* : c'est-à-dire que chacun est autre que soi et se comporte comme un autre qui, lui-même, est autre que soi. Les travailleurs énonçaient et affirmaient la pensée sérielle comme si c'était leur propre pensée, mais c'était en fait celle de la classe dominante qui s'imposait aux ouvriers du dehors. Non qu'ils la trouvassent juste ni claire. Mais parce qu'elle justifiait leur passivité par des considérations générales. L'I.F.O.P. ou la S.O.F.R.E.S., dit très justement Jean, si fantaisie leur avait pris de mener une enquête chez ces travailleurs, auraient certainement

reçu quantité de réponses s'inspirant de cette idéologie :
racisme (on ne peut rien faire avec les ouvriers immigrés), défiance envers l'environnement (les Vosgiens
sont des paysans, ils ne nous comprendraient pas), misogynie (les femmes sont trop bêtes), etc. C'est que justement, dans son principe, ce type d'enquête sérialise et
qu'on le pratique sur des sujets déjà sérialisés. En ce
sens, Lénine a raison. L'erreur est de croire que la pensée vivante peut se séparer de l'action, qu'elle est la
spécialité des « intellectuels », au lieu que la « pratique »
(sans pensée?) serait celle des travailleurs manuels. En
fait il existe une autre pensée, plus profonde, que la
classe dominante refoule par l'atomisation et qui est la
leur : c'est le refus de leur condition. Fondamentale-
ment exploités et opprimés, ils ne peuvent prendre conscience de cette situation qu'en se révoltant contre elle
de la façon la plus radicale; mais lorsque les masses
sont atomisées et sérialisées, lorsque chacun s'y sent
seul et à demi résigné, cette pensée ne leur apparaît pas
clairement, elle est masquée par la pensée sérielle qui
sépare et justifie les séparations. Cependant, dès qu'un
changement extérieur concerne la production, en dévoile
sur un point les conditions actuelles et entraîne chez les
travailleurs un refus particulier, concret et daté, la
série fait place au groupe dont le comportement exprime
— bien que souvent sans le formuler — le refus radical
de l'exploitation. Au début la pensée sérielle s'oppose à
l'unité pratique, de la même façon que l'atomisation et
la sérialité s'opposent à la formation du groupe : il
serait vain de la réfuter par des arguments car elle est
née de la formation sérielle et l'exprime parfaitement.
Mais, dès que l'action concrète exige l'unification — fût-
elle provisoire — elle ne trouve plus à se manifester car
le groupe ne peut jamais penser ni agir sériellement.
Jean montre bien que le racisme, la misogynie, dès le
début de l'action, disparaissent non pour avoir été repé-

rés, nommés et dénoncés par des mots, mais parce que
ce sont des facettes de l'idée séparatiste dont on n'a plus
besoin. Dès lors, comme dit Jean, les masses progressent
par bonds : à Contrexéville, au départ, quand les
ouvriers étaient tout embarrassés et freinés par l'idéologie bourgeoise, il eût été vain de leur proposer plus
qu'une grève symbolique d'une heure. Mais, dès qu'un
commencement d'unité a été nécessité et réalisé par les
préparatifs de cette grève, les masses en sont venues
elles-mêmes à transformer l'arrêt de travail symbolique
en une grève réelle, efficace et illimitée, qui s'inspirait
de la vraie pensée du groupe, le refus inconditionnel de
l'exploitation. Cette décision, qui fut une surprise pour
Jean lui-même, montre que les masses, quand elles
passent à l'action, vont toujours plus loin que les agitateurs n'ont osé l'espérer. Le premier travail des « établis » est donc, en période de sérialisation, d'appuyer la
tendance la plus à gauche, même et surtout si elle est
timide et brouillée, et de proposer une action concrète,
même modeste; si celle-ci est acceptée, la seconde
tâche, la plus importante, est de se mettre à l'écoute des
masses et de les accompagner, non de tenter de les
guider. Reste à présent leur unité : nul doute, en effet,
qu'après cette grève, même réussie, le danger pour le
groupe n'ait été de retomber dans la sérialité. Cela signifie qu'un *parti des masses,* comme les maos pensent à
le constituer, devrait être sans cesse à l'écoute, tirer ses
mots d'ordre du groupe et tenter perpétuellement de
rapprocher les périodes de sérialité des périodes d'action : il serait, en quelque sorte, la mémoire des masses
d'abord. Tel est le « spontanéisme » des maos : il signifie simplement que la pensée révolutionnaire naît du
peuple et que le peuple seul la porte, par l'action, à son
plein développement. Et bien sûr ils n'ignorent pas
que le peuple n'existe pas encore en France : que serait-
ce en effet sinon la totalité des masses s'arrachant par

la lutte à la sérialité? Mais partout où les masses
passent à la *praxis,* localement, elles *sont déjà* le peuple,
au commencement de sa réalisation.

Telle est la seconde idée des maos. La troisième,
quoique moins explicite, n'est pas moins. importante.
Elle découle des deux autres et vous la trouverez à
toutes les pages de ce livre : c'est ce que l'on nomme souvent l'anti-autoritarisme, de manière assez impropre à
mon avis. Il va de soi que les maos sont marxistes au
sens où Guevara me disait en 60 : « Ce n'est pas notre
faute si la vérité est marxiste. » Mais on peut, comme
l'a fait souvent Engels, en particulier dans l'*Anti-
Dühring,* substituer à l'histoire que font les hommes
une économie qui se fait par eux mais, pour ainsi dire,
sans eux. Pour les maos, au contraire, partout où la violence révolutionnaire prend naissance dans les masses,
elle est immédiatement et profondément morale car les
travailleurs, jusque-là objets de l'autoritarisme capitaliste, deviennent, fût-ce pour un moment, les sujets de
leur histoire. La bourgeoisie, avec son « savoir », ne dit
jamais « qu'une chose : obéissez [1] ». Beaucoup de jeunes
gens, dégoûtés d'obéir à des plans établis par une
bureaucratie dirigeante, ont été rejoindre le combat des
masses à cause de sa moralité. Je sais : les révisos font
de la morale une superstructure de la société capitaliste;
selon eux, le militant n'a pas à s'en soucier, il doit se
fixer des règles pratiques en ne visant que l'efficacité.
Et il est vrai que la morale est une superstructure de la
classe dominante, mais il est vrai aussi que c'est une
mystification puisqu'elle repose nécessairement sur
l'exploitation. Mais les explosions de la violence populaire, bien que les motifs économiques et politiques
puissent en être fort clairs, ne se comprennent que si
ces raisons ont été *moralement* appréciées par les

1. *Cahiers de la Gauche prolétarienne,* mai 1970, n° 2, p. 69.

masses, c'est-à-dire si elles leur ont fait mieux saisir l'immoralité suprême qui est justement l'exploitation de l'homme par l'homme. Ainsi, quand le bourgeois prétend se conduire selon une morale « humaniste » — travail, famille, patrie — il ne fait que dissimuler son immoralité foncière et tenter d'aliéner les travailleurs : il ne sera jamais moral. Au lieu que les ouvriers et les paysans, quand ils se révoltent, sont totalement moraux puisqu'ils n'exploitent personne. Telle est la raison pour laquelle l'intellectuel n'a rien à leur apprendre. Sans doute il a découvert l'exploitation et l'oppression, mais abstraitement et comme une simple contradiction de la morale bourgeoise. Ce qu'est l'obéissance refusée, il ne peut l'apprendre que du peuple et qu'en se joignant à l'action populaire. Ce que veulent les masses *d'abord*, s'il faut en croire les maos, c'est la liberté : elles ne refusent pas le travail, mais le travail imposé, les cadences, par exemple, qu'on établit en fonction du profit, jamais en fonction du travailleur. C'est cette revendication élémentaire de la liberté qui a transformé, en 36 les occupations d'usines, en 67-71 les séquestrations des cadres, en *fêtes*. Les séquestrations ont été beaucoup commentées, les organes de gauche, après quelques hésitations, ont reconnu qu'elles constituaient une forme de lutte spontanément inventée par les masses donc légitime. Seuls les maos y ont vu, en outre, une affirmation concrète de la liberté du travail : cela montre que cette aspiration à la liberté n'a rien d'idéaliste et qu'elle trouve toujours sa source dans les conditions concrètes et matérielles de la production, ce qui n'empêche qu'elle représente en chaque cas pour les travailleurs un effort pour constituer une société *morale*, c'est-à-dire où l'homme, désaliéné, puisse se trouver lui-même dans ses vrais rapports avec le groupe.

Violence, spontanéité, moralité : tels sont, pour les maos, les trois caractères immédiats de l'action révo-

lutionnaire. Ils ne disent point, par une simplification
excessive, que « la théorie, c'est la pratique », mais
qu'elle n'apparaît jamais que dans la pratique. De là
cette agilité à inventer et à réaliser des actions locales
dont l'origine se trouve toujours dans les masses : luttes
pour établir de force la liberté de la presse révolutionnaire, tribunaux populaires, luttes de moins en moins
symboliques et ponctuelles, de plus en plus réalistes
— comme leur combat contre le racisme — et qui tendent
à s'organiser pour devenir enfin, toutes ensemble, le
commencement d'une *politique* des masses, à quoi il faut
nécessairement arriver. Les partis classiques de la
gauche en sont restés au xixe siècle, au temps du capitalisme concurrentiel. Mais les maos, avec leur *praxis*
anti-autoritaire, apparaissent comme la seule force
révolutionnaire — encore à ses débuts — capable de
s'adapter aux nouvelles formes de la lutte des classes,
dans la période du capitalisme organisé.

Avant-propos aux Maos en France
de Michèle Manceaux,
Éditions Gallimard, 1972.

JUSTICE ET ÉTAT*

Je ne suis pas inculpé en Belgique. Pourtant jamais je n'ai vu ni ne verrai sans doute une telle assemblée de juges et d'avocats. Puisque la Justice doit être impartiale, le fait que les délits qui me sont reprochés et que j'assume se soient produits dans un autre pays m'assure d'une impartialité que je ne trouverai pas en France. Donc, c'est devant vous, messieurs, que je présenterai ma défense. Non pas celle que je ferai à Paris sur les diffamations qu'on me reproche : je tenterai de prendre un point de vue plus général. J'ai intitulé ma conférence : Justice et État. Le titre peut paraître bien prétentieux puisqu'il s'agit simplement d'un délit de presse. Mais il se trouve aujourd'hui, en France, à propos de n'importe quel procès, que la question est posée du rapport fondamental de la Justice, et de l'État. C'est le général de Gaulle qui a fortement marqué cette liaison. Comme on lui demandait de laisser siéger en France le « Tribunal Russell », il m'a répondu, dans une lettre qu'il a publiée : « Ce n'est

---

* Conférence donnée le 25 février 1972 à l'invitation du Jeune Barreau de Bruxelles.

pas à vous que j'apprendrai que toute Justice, dans son principe comme dans son exécution, n'appartient qu'à l'État. »

J'essaierai donc de comprendre ce qu'est la Justice dans une démocratie bourgeoise, la France, et je tenterai d'appliquer à mon cas les conceptions que je me suis formées.

Sur un point, l'examen de l'histoire donne raison à de Gaulle : depuis le haut Moyen Age le tribunal est le corrélatif de la formation d'un appareil d'État. Les populations germaniques, au départ, ne connaissaient pas de formes judiciaires organisées : là-bas, faire un acte *régulier* de justice, quand un dommage était subi, c'était *riposter*. Lors de la féodalité, la justice est devenue un service obligatoire rendu par les seigneurs d'abord et l'on en a retiré des profits. De fait, un tiers des revenus féodaux venaient de revenus en justice : c'est-à-dire que la justice était rentable parce qu'on faisait payer les plaignants. Entre deux hommes qui cherchaient à faire valoir le droit de riposte, un tiers apparaissait qui disait : « Je suis l'impartialité, je suis la justice. Voici ma décision et vous vous y plierez », ce qui impliquait un pouvoir militaire. Apparaît le roi qui concentre la fiscalité, l'armée et la justice, trois pouvoirs interdépendants. Le Parlement (fin xiiie), l'armée royale et le grand système fiscal mis au point par Philippe le Bel sont à peu près contemporains. Quand, au cours des troubles révolutionnaires de 1789-1794, la bourgeoisie voulut imposer au peuple son pouvoir, elle créa un nouveau système judiciaire et substitua aux grands mouvements de la plèbe des corps spécialisés — dont le Tribunal révolutionnaire — qui se prétendaient nés du peuple et qui, en fait, étaient créés par le gouvernement. L'idée est venue et s'est exprimée, alors, que les juges étaient neutres par rapport aux deux parties en présence et qu'ils jugeaient impartialement en fonction d'idées et de valeurs qu'on présentait comme absolues et qui, en fait, sortaient de l'idéologie bourgeoise. Ainsi le corps judiciaire a été, et est resté de nos jours, une bureaucratie nommée par l'État et à laquelle l'État prête ses « forces de l'ordre », la police et, au besoin, l'armée. La justice bourgeoise paraît donc, comme dit de Gaulle, appartenir à l'État dans son principe comme dans son exécution.

Je ferai pourtant deux objections à cette théorie. La première se fonde sur la distinction de l'État, réalité abstraite, et du gouvernement, réalité concrète. Montesquieu, suivi, dès 1789, par les députés révolutionnaires, avait fortement marqué que l'impartialité des juges ne peut se baser que sur leur indépendance du gouvernement. « Il n'y a point de liberté si la puissance de juger n'est pas séparée de la puissance législative et de l'exécutrice. Si elle était jointe à la puissance législative, le pouvoir sur la vie et la liberté des citoyens serait arbitraire car le juge serait législateur. Si elle était jointe à la puissance exécutrice, le juge pourrait avoir la force d'un oppresseur. » Ce principe de l'indépendance des trois pouvoirs est encore proclamé dans notre démocratie. Il faudra tenter de comprendre, tout à l'heure, ce qu'il signifie et si la République postgaullienne l'applique encore.

La deuxième objection, infiniment plus importante, c'est que la notion de Justice, à son origine, ne vient pas de l'État mais du peuple. Pour le peuple, c'est-à-dire pour la majorité des Français, il y a, originellement, des situations justes et des situations injustes. Il ne s'agit pas ici d'idéologie, mais d'un sentiment beaucoup plus profond qui exprime la réalité fondamentale de la conscience populaire. Aucune activité sociale ou politique ne pourrait s'exercer populairement si elle n'était d'abord tenue pour juste. Par contre, la justice d'une cause amène l'enthousiasme et le dévouement et conduit des

groupes à entreprendre des actions que les magistrats
constitués jugent punissables en fonction du code qu'on
leur donne et des principes qu'on leur a inculqués. Je
ne citerai ici — pour mémoire — que les séquestrations
de patrons ou de cadres, que la bourgeoisie juge comme
un crime intolérable et qui, outre leur importance politique et sociale, ont un motif capital : l'indignation
morale et le besoin de justice. En d'autres termes, le
fondement de la justice, c'est le peuple. Il faut entendre
par là que l'ensemble des opprimés et des exploités
peuvent, en certaines circonstances, réclamer leur
libération, c'est-à-dire la fin de l'oppression et de l'exploitation. Foucault, qui fait partie du G.I.P., dit que la
justice populaire ne se réclame d'aucun principe absolu :
on lui fait un *dommage* et elle *riposte*. En ce sens, le
dommage est aujourd'hui ce qu'on nomme l'exploitation de l'homme par l'homme et la riposte, en un point
particulier, sera l'ensemble des activités qui veulent
mettre fin, en ce lieu, en ce temps, en cette conjoncture
aux pratiques de l'exploitation. De cela, justement la
justice qui « appartient à l'État » ne connaît pas et n'a
pas à connaître, puisqu'elle est justement créée pour
perpétuer cette exploitation. Comme le dit encore Foucault, son rôle depuis le xviiie siècle a été d'opposer l'une
à l'autre deux catégories des masses : les hommes qui
sont forcés d'accepter un travail à très bas salaire, et
qui ne sont pas condamnables, dans la mesure même où
ils acceptent parce qu'ils ne peuvent faire autrement, et
qui constitueront le prolétariat, et ceux qui refusent ces
conditions de vie et sont par là même condamnables pour
délit de vagabondage. Mais il faut noter que les premiers se *résignent* à signer ce prétendu contrat de travail qui leur achète à bas prix leur force de travailleurs;
et que, souvent, au nom de cette liberté — ou volonté de
libération — qu'ils trouvent au fond d'eux-mêmes, ils
finissent par se révolter et deviennent passibles des

mêmes peines qu'on applique aux vagabonds. En sorte
qu'il existe en France deux justices, l'une, bureaucra-
tique, qui sert à attacher le prolétaire à sa condition;
l'autre, sauvage, qui est le mouvement profond par
lequel le prolétariat et la plèbe affirment leur liberté
contre la prolétarisation. Ainsi, quand de Gaulle déclare
que toute justice appartient à l'État, il se trompe ou il
se démasque : la source de toute justice est le peuple.
Le gouvernement s'empare de la tendance à la justice
qu'il trouve dans la plèbe et crée des organes de justice
qui représentent la bureaucratisation de la volonté de
justice populaire; ces tribunaux rendent leur sentence
en appliquant la loi et en s'inspirant de principes bourgeois : ils ont donc pour origine un tour de passe-passe
et la falsification de la volonté populaire. Entre ces deux
justices, l'une codifiée et permanente, l'autre intermit-
tente et sauvage, il convient donc de choisir en sachant
qu'elles sont contradictoires et que si l'on choisit l'une,
on sera condamnable par l'autre.

J'ai choisi la justice populaire comme la plus profonde et la seule véritable. Ce qui revenait à m'exposer
aux coups de la justice bourgeoise. J'ai fait ce choix
après Mai 68 parce que c'était le seul que je pouvais
faire. Mai 68 a été, en premier lieu, la révolte des étudiants contre la culture bourgeoise puis, un peu après,
le plus grand mouvement de grèves qu'a connu la
France.

Que signifiait la révolte contre la culture?

La culture bourgeoise est une totalité. Ceux qu'on
appelle aujourd'hui, d'après les sociologues Bourdieu
et Passeron, les « héritiers », c'est-à-dire les bourgeois
fils de bourgeois, y baignent dès leur petite enfance et
n'ont pas grand-peine, pendant leurs études, à l'assimiler complètement. Elle se prétend humaniste. Pourtant, jusqu'à aujourd'hui, profitant de l'erreur de la
bourgeoisie, qui se prétendit « classe universelle »

sous la Révolution, elle confond l'humanité avec la bourgeoisie et se refuse à tenir les prolétaires pour des
hommes à part entière parce qu'ils ne sont pas des bourgeois. C'est ce qui lui permet de créer, dès la petite
enfance, un type d'enseignement que l'on nomme *élitiste* parce que, basé sur la sélection et la compétition,
il finit toujours, en rejetant un nombre croissant d'en-
seignés, par constituer une sorte d'élite finaliste qui sert
de base aux hiérarchies complexes du système bourgeois. A cette élite, on donne un savoir qu'on prétend
universel, alors qu'il n'est en réalité que le minimum
exigé au départ par les entreprises pour employer ces
jeunes gens. S'ils figurent aux finales du championnat,
le savoir devient abstrait, il est séparé des choses sur
lesquelles on l'a établi. Il devient en même temps un
pouvoir, c'est-à-dire la possibilité de requérir d'autres
hommes et de leur fixer des tâches. Pour le reste, l'Université est le lieu du babil, on n'y apprend *rien* à *peu de
gens*. Les étudiants, surtout ceux de la petite bourgeoisie et les fils d'ouvriers, ont compris, surtout dans les
Sciences humaines, qu'il y avait beaucoup d'appelés
et peu d'élus, que le régime bourgeois incitait un très
grand nombre d'individus à se pénétrer de culture mais
qu'il en rejetait la plus grande quantité et tendait ainsi
à constituer un prolétariat de bacheliers tandis qu'il
réservait à ses élus, dans les entreprises, des postes de
testeurs, de surveillants qui utiliseraient les connaissances acquises à faire passer des épreuves aux
employés ou aux cadres, ou à mettre debout les principes d'un *human engineering* permettant de mysti-
fier ou de calmer les ouvriers. Pas de travail ou un travail de sbires renforçant la hiérarchie : les étudiants
refusaient ces deux possibilités. Ce fut une des causes
des journées de Mai.

Cependant les ouvriers se mettaient en grève. La
culture bourgeoise ne leur convenait en rien. Elle éta-

blissait une hiérarchie de chefs et ils se trouvaient, eux,
au dernier degré de la hiérarchie, devant obéir et jamais
commander. A partir de là, ils voyaient les élites comme
elles étaient, c'est-à-dire de bas en haut, comme des
statues posées sur des socles qu'elles ne pouvaient
voir et dont ils voyaient, eux, qu'elles les écrasaient.
Ils saisissaient la culture comme une superstructure
tendant à justifier aux yeux bourgeois l'oppression et la
répression. Pourtant, d'une certaine manière, la culture
bourgeoise s'unissait aux efforts de massification pour
les vouer à l'impuissance. Elle était absorbée par les
ouvriers et quelquefois les paysans comme un pouvoir
négatif de séparation. De fait, dans bien des entreprises
qui n'avaient pas fait grève depuis cinq ou dix ans, si
fantaisie avait pris à l'I.F.O.P. de mener une enquête
chez les travailleurs, il aurait certainement reçu quantité de réponses s'inspirant de cette idéologie sépara-
trice et génératrice d'impuissance. Cependant, il existait en eux une autre pensée plus profonde, que la
classe dominante refoule par son idéologie et qui est
la *leur* : c'est le refus de leur condition. Opprimés et
exploités travaillant comme au bagne avec des surveillants et des petits chefs sur le dos, ils ne peuvent
prendre conscience de cette situation qu'en se révoltant contre elle radicalement. Mais lorsque les masses
sont atomisées, lorsque chacun s'y sent seul et à demi
résigné par impuissance, cette pensée ne leur apparaît pas clairement : elle est masquée par l'idéologie
bourgeoise qui sépare et justifie les séparations.
Cependant en 68 un changement de la conjoncture entraîna chez les travailleurs un refus concret,
daté, et les solitudes firent place au groupe dont le
comportement exprime le refus radical de l'exploitation. Racisme, misogynie, défiance envers les paysans disparurent dès le début de l'action, non pour
avoir été repérés et dénoncés, mais parce que ce sont

les facettes de l'idée séparatiste et qu'ils n'en avaient plus besoin. En bref, on peut dire que tout mouvement populaire, rejetant le prétendu *libéralisme bourgeois* est affirmation en acte de la liberté. Il existe donc deux types de culture et partant deux justices : la culture bourgeoise, complexe et différenciée, n'en est pas moins fondée sur l'oppression-répression et l'exploitation qu'elle justifie; la culture populaire fruste, violente et peu différenciée est pourtant la seule valable : elle est fondée sur la réclamation de la liberté plénière. Par quoi il ne faut pas entendre : licence. Mais, tout au contraire : la souveraineté pour chaque travailleur et la responsabilité.

Poser la nécessité de choisir entre ces deux cultures et ces deux justices, c'est nécessairement choisir les secondes. Ce qui retient beaucoup de gens, c'est qu'en choisissant les premières on n'a rien à faire puisqu'elles règnent déjà jusque — négativement — en de nombreux milieux populaires. Choisir la culture et la justice populaires, au contraire, c'est décider l'action en tout temps. Pour la raison que le peuple, en France, atomisé, n'existe plus ou pas encore. Toutefois, en chaque endroit où la lutte des classes s'intensifie, les masses retrouvent l'unité populaire et sont déjà le peuple au début de sa restitution. Alors et alors seulement, elles retrouvent au plus profond d'elles-mêmes l'exigence de liberté et de souveraineté qui est le fondement de l'exigence populaire. Celui qui choisit le peuple doit donc aider partout où il le peut à reconstituer cette unité concrète. Il se trouve impliqué dans toutes les formes d'action revendicatrice.

Pour cette raison, si un intellectuel choisit le peuple, il doit savoir que le temps des signatures de manifestes, des tranquilles meetings de protestation ou des articles publiés par des journaux « réformistes » est terminé. Il n'a pas tant à parler qu'à essayer, par les moyens qui

sont à sa disposition, de *donner la parole* au peuple.
C'est à partir de là qu'il faut comprendre l'affaire de
La Cause du peuple.

A la fin de 68 ou au début de 69, Geismar m'avait
exposé un projet : créer un bulletin dans lequel les
masses parleraient aux masses ou, mieux, dans lequel
le peuple, là où ses luttes l'avaient partiellement recons-
titué, parlerait aux masses, pour les entraîner dans ce
processus de restitution. Cela voulait dire que ce bulletin tenterait de rendre compte de toutes les actions des
ouvriers et des paysans en France pour que les travailleurs qui le liraient, s'ils se trouvaient eux aussi en
situation d'entreprendre une lutte active, ne se sentent
plus isolés et puissent s'inspirer de tel ou tel type
d'action — par exemple les séquestrations, impos-
sibles en tel lieu, possibles en tel autre — qu'ils liraient
dans le bulletin. Le projet connut un début de réalisation et je devais y travailler avec Geismar. Puis,
pour des raisons pratiques, il tourna court. A ce
moment-là, Geismar n'était pas encore de la Gauche prolétarienne. Il y entra bientôt et les maos créèrent un
journal, *La Cause du peuple* qui n'était, au fond, que la
réalisation de notre projet primitif. Par le fait, le journal n'avait pas de propriétaire, il était au peuple. On en
faisait une vente militante et il comportait des articles
écrits directement ou indirectement (sous forme d'interview) par des travailleurs qui rendaient compte aux
autres soit d'une action qu'ils venaient d'exécuter soit
d'une action en cours d'exécution, soit de la situation
dans telle ou telle usine, c'est-à-dire des mesures prises
par les patrons et qui créaient telle ou telle tension
collective (licenciements, lock-out, élévation des normes
de production, etc.). Le journal visait à donner par les
travailleurs eux-mêmes une vision de l'ensemble des
luttes, en France, à partir de 70. Il fit scandale.

Pourquoi? Parce que la bourgeoisie est élitiste : elle

comprend que les masses délèguent leurs pouvoirs à une élite. Élite politique, élite journalistique. Elle admet donc que des rédacteurs qualifiés parlent *des* masses ou, à la rigueur, *pour* les masses. Mais ils doivent en parler dans un *langage bourgeois* avec les types de raisonnement admis dans la bourgeoisie : *L'Humanité* ne fait pas exception à la règle. Dans certains journaux de gauche, les rédacteurs sont *sortis* du peuple. Mais, précisément, ils en sont sortis. Il peut y avoir des contestations mais le ton en est modéré et de ce fait les contestataires de la presse sont récupérés : ils sont révisionnistes même s'ils ne le veulent pas, parce que, s'ils se font les avocats des masses, ils ne ressentent point ou plus dans leur personne la lassitude, les colères et les besoins des hommes dont ils parlent. Ils peuvent parler *de* ces besoins mais ils en font des objets statistiques, des quantités qu'on peut envisager de faire décroître dans une mesure raisonnable, c'est-à-dire compatible avec le profit.

Tout au contraire, dans *La Cause du peuple,* ce sont les besoins qui s'expriment, tels que les travailleurs les ressentent; ils rendent directement leur indignation et même leur haine d'opprimés, souvent exaspérée par la défaite ou la victoire. Ce langage fruste, sauvage, violent choque profondément les bourgeois. D'abord ils n'y retrouvent pas leurs cérémonies. Comparez un article du *Monde,* où les faits sont mis au conditionnel pour leur ôter ce qu'ils pourraient avoir de gênant, où la conclusion est interrogative, à une interview d'ouvrier, pendant sa lutte contre les patrons, article de guerre. Lisez les slogans que *La Cause du peuple* n'invente pas, qu'elle recueille : « Bercot, salaud, le peuple aura ta peau » et vous comprendrez la différence. Cette fois le peuple parle au peuple. Il fait bénéficier de son expérience les travailleurs encore atomisés. Il explique, dans un cas particulier qu'il connaît bien, que l'im-

mense majorité des accidents de travail ne sont ni dus
à une inattention des ouvriers ni à une fatalité supé-
rieure à l'entreprise, mais qu'ils sont bel et bien des
assassinats. En un mot, ce langage ne s'adresse pas au
lecteur bourgeois dont on n'attend rien et qui ne s'y
reconnaît pas. C'est le langage populaire à un certain
moment de la lutte, celui justement que la bourgeoisie
ne veut pas reconnaître parce qu'il ignore ses subti-
lités et qu'il affirme à chaque instant la morale populaire et le sens populaire de la justice. De cette justice
qu'on lui a volée et qu'on a défigurée.

C'est là, si l'on veut, la différence entre le bulletin
projeté par Geismar et *La Cause du peuple* : elle était
inévitable. Il fallait prévoir que, si les travailleurs
prenaient la parole, ils donneraient à connaître, jusque
dans leur langage, la révolte profonde des exploités
et des opprimés, cette révolte que la bourgeoisie veut
ignorer.

D'autant que l'Assemblée élue en 68 est une Assemblée « introuvable », comme on disait sous la Restaura-
tion, et portée au pouvoir par la grande peur des nantis.
Elle a prétendu, dès qu'elle est entrée en fonction, que
Mai 68 était bien terminé, qu'il avait disparu sans
laisser de traces. Et, par le fait, une première répression, dure et aveugle, avait affaibli le mouvement des
étudiants. Mais chez les ouvriers, la combativité
demeurait intacte : le nombre des séquestrations après
68 s'augmente considérablement. Ce que l'Assemblée
voulait cacher, *La Cause du peuple* le criait sur les
toits. Quelquefois avec un peu de triomphalisme, mais
ce défaut devait s'atténuer par la suite. En conséquence,
le gouvernement imagina le « coup » de *La Cause du
peuple* : on arrêta son premier directeur, Le Dantec;
elle en eut un second, Le Bris, qu'on arrêta aussi, puis,
le jour du jugement, le gouvernement, pour influencer
les magistrats, annonça que la Gauche prolétarienne

faisait l'objet d'une mesure de dissolution. Et, dans son réquisitoire, le procureur — qui, lui, dépend entièrement de l'exécutif — réclama du juge qu'il punît sévèrement les accusés et qu'il suspendît pour un an *La Cause du peuple*. Le résultat ne fut qu'à demi celui qu'on escomptait : peut-être faut-il y voir le minimum d'indépendance des juges à cette époque. Les accusés furent durement condamnés mais le juge refusa d'interdire *La Cause du peuple*. La raison qu'il donna était qu'elle n'avait pas de propriétaire. C'était exact puisqu'elle appartenait au peuple. Mais la raison profonde de l'attitude du magistrat semble être plutôt qu'il voulait bien châtier deux personnes responsables de ce qu'il tenait pour des excès de langage mais que la suppression, même provisoire, de l'organe où avaient eu lieu ces excès lui paraissait une atteinte à la liberté de la presse.

Peu de temps auparavant Geismar et ses camarades étaient venus me voir. Le Dantec et Le Bris allaient être condamnés, il fallait trouver un autre directeur. Ils me proposèrent de le devenir et j'acceptai. Il faut ici que je dise pourquoi.

Il faut d'abord noter que cette proposition, si elle était acceptée, devait amorcer un changement de leur politique. Jusque-là, *La Cause du peuple* s'était montrée hostile aux intellectuels, à ce qu'on appelait alors le vedettariat, et dans quelques articles (par exemple lors du procès de Roland Castro) à moi-même. Mais ils se trouvaient dans une impasse : tout nouveau directeur, s'il n'était pas connu (donc vedette) risquait d'être incarcéré dès son entrée en fonction. Or ils souhaitaient continuer le plus longtemps possible à publier ouvertement *La Cause du peuple*. Bien que la vente en fût souvent militante, il n'était pas encore temps de l'envisager clandestine. Restait une possibilité : s'adresser à un intellectuel connu. Mais cette solution devait amener les maos, à la longue, à réfléchir sur le statut des intellectuels et sur les possibilités de mener avec eux des actions communes. Élargir la notion du peuple, faire entrer des intellectuels dans leur lutte, cela me paraissait particulièrement bénéfique. D'abord parce que je suis un intellectuel et que j'apprécie leur combat. Ensuite parce que j'étais pour l'unité des forces de la vraie gauche — j'entends par là tout autre chose que l'unité du parti socialiste et du parti communiste. Or s'il était possible de rapprocher, en tout cas sur un point, les ouvriers et les intellectuels, on pouvait espérer, à la longue, retrouver l'alliance de l'intelligentsia et du prolétariat qui était chose courante au xixe siècle et que le parti communiste a brisée. Je dis tout de suite que je ne me trompais pas et qu'on a vu, à la fin de l'année dernière, les travailleurs et certains intellectuels se rapprocher à Dunkerque à l'occasion de l'affaire Liscia. On pourrait citer bien d'autres cas. Cela supposait une double modification : d'une part, certains préjugés de l'ex-Gauche prolétarienne devaient disparaître; d'autre part, les hommes qu'on appelait hier encore les intellectuels « classiques » devaient se contester en tant qu'intellectuels et changer leur rapport à la société.

Mais il fallait surtout sauver *La Cause du peuple* c'est-à-dire le seul journal qui fît entendre la voix du peuple. Je dois le reconnaître, j'ai accepté parce que j'étais connu. J'ai cyniquement mis ma notoriété dans la balance. En d'autres termes, pour la première fois de ma vie, je me suis conduit en vedette. Pourquoi? Pour provoquer une crise au sein de la bourgeoisie répressive.

La bourgeoisie s'est toujours méfiée — à raison — des intellectuels. Mais elle s'en méfie comme d'êtres étranges qui sont, en fait, issus de son sein. La plupart des intellectuels, en effet, sont nés de bourgeois qui leur ont

inculqué la culture bourgeoise. Ils apparaissent comme
gardiens et transmetteurs de cette culture. De fait, un
certain nombre de techniciens du savoir pratique se
sont, tôt ou tard, faits leurs chiens de garde, comme a
dit Nizan. Les autres, ayant été sélectionnés, demeurent
élitistes même quand ils professent des idées révolutionnaires. Ceux-là, on les laisse contester : ils parlent le
langage bourgeois. Mais doucement on les tourne et,
le moment venu, il suffira d'un fauteuil à l'Académie
française ou d'un prix Nobel ou de quelque autre
manœuvre pour les récupérer. C'est ainsi qu'un écrivain communiste peut exposer actuellement les souvenirs de sa femme à la Bibliothèque nationale et que
l'inauguration de l'exposition est faite par le ministre
de l'Éducation nationale.

Cependant il est des intellectuels — j'en suis un — qui,
depuis 68, ne veulent plus dialoguer avec la bourgeoisie. En vérité, la chose n'est pas si simple : tout intellectuel a ce qu'on appelle des intérêts idéologiques. Par
quoi on entend l'ensemble de ses œuvres, s'il écrit, jusqu'à ce jour. Bien que j'aie toujours contesté la bourgeoisie, mes œuvres s'adressent à elle, dans son langage, et — au moins dans les plus anciennes — on y
trouverait des éléments élitistes. Je me suis attaché,
depuis dix-sept ans, à un ouvrage sur Flaubert qui ne
saurait intéresser les ouvriers car il est écrit dans un
style compliqué et certainement bourgeois. Aussi les
deux premiers tomes de cet ouvrage ont été achetés et
lus par des bourgeois réformistes, professeurs, étudiants, etc. Ce livre qui n'est pas écrit par le peuple ni
pour lui résulte des réflexions faites par un philosophe
bourgeois pendant une grande partie de sa vie. J'y suis
lié. Deux tomes ont paru, le troisième est sous presse,
je prépare le quatrième. J'y suis lié, cela veut dire : j'ai
soixante-sept ans, j'y travaille depuis l'âge de cinquante
ans et j'y rêvais auparavant. Or, justement, cet ouvrage

(en admettant qu'il apporte quelque chose) représente, dans sa nature même, une frustration du peuple. C'est lui qui me rattache aux lecteurs bourgeois. Par lui, je suis encore bourgeois et le demeurerai tant que je ne l'aurai pas achevé. Cependant, par tout un autre côté de moi, qui refuse mes intérêts idéologiques, je me conteste moi-même comme intellectuel classique et je comprends que si je n'ai pas été récupéré, il s'en est fallu de peu. Et, dans la mesure où je me conteste, où je refuse d'être un écrivain élitiste qui se prend au sérieux, il m'arrive que je me trouve au milieu des hommes qui luttent contre la dictature bourgeoise. D'abord parce que je veux rejeter ma situation bourgeoise. Il existe donc une contradiction très particulière en moi : j'écris encore des livres pour la bourgeoisie et je me sens solidaire des travailleurs qui veulent la renverser. Ce sont ces travailleurs qui lui ont fait peur en 1968, ce sont eux qui sont aujourd'hui victimes d'une répression accrue. En tant que je suis l'un d'eux, je dois être châtié. En tant que j'écris *Flaubert,* je suis un enfant terrible de la bourgeoisie qui doit être récupéré. Il s'agit donc de communiquer dans les sphères gouvernementales la contradiction profonde qui est en moi : j'écris un ouvrage d'histoire littéraire et j'ai assumé la direction de *La Cause du peuple* et de trois autres journaux « gauchistes » dont deux ont disparu pour des raisons matérielles (*Tout* et *La Parole au peuple)* ou politiques et ont été remplacés par un nouveau bi-mensuel, *Révolution,* que je dirige aussi. Que signifie « diriger »? C'est d'abord un défi au gouvernement, j'en conviens : Vous avez condamné Le Dantec à un an et Le Bris à huit mois de prison. Je suis troisième directeur, donc arrêtez-moi. Si vous m'arrêtez, vous aurez un procès politique sur les bras; si vous ne m'arrêtez pas, vous montrez que la Justice a deux poids et deux mesures. Au procès de Le Dantec, je suis allé à la barre pour dire au magistrat mon étonnement d'être libre, alors que mes deux confrères étaient sous les verrous. Il me répondit qu'il n'y pouvait rien et cela était exact : il jugeait les inculpés qu'on lui déférait et ceux-là seulement. Mais le gouvernement était ridiculisé par son incertitude. Il était gagné par ma contradiction. Il y avait dans son sein des hommes qui voulaient m'inculper, et d'autres, qui se référaient à ce qu'avait dit de Gaulle lors du procès des 121, jugeaient qu'un procès politique ne pouvait que leur porter tort et préféraient laisser aller, comme d'ailleurs, dans une première période, les journaux bourgeois le leur conseillaient.

Au début, le gouvernement fut si embarrassé qu'il laissa paraître le premier numéro de *La Cause du peuple* dirigée par moi, le 1ᵉʳ mai 1970. Par la suite, durant de longs mois, le ministère de l'Intérieur usa d'une tactique nouvelle : il ne parlait plus du directeur-responsable de *La Cause du peuple* mais il faisait saisir chaque numéro du journal à la source. Tactique parfaitement illégale, puisque le juge avait refusé de le suspendre. Certes, il pouvait y avoir des articles susceptibles d'être incriminés. Mais cela, personne ne pouvait le savoir puisque personne n'avait lu le journal avant de le faire saisir. Ce n'était donc ni en vertu de la loi de 1881, ni des modifications de 1892, appelées « lois scélérates », qu'on effectuait la saisie. Il s'agissait purement et simplement d'étouffer par la force un organe de presse révolutionnaire. Cette fois, le crime contre la liberté de la presse était patent. Au reste, la tactique était peu payante : nous arrivions à faire sortir la grande majorité des exemplaires, la police n'avait que les restes. Le ministère de l'Intérieur tenta alors d'agir sur les vendeurs. Il les fit arrêter partout où il put et les fit déférer devant une cour d'exception pour reconstitution de ligue dissoute. Nous prouvâmes de nouveau qu'il y avait deux poids, deux mesures : des travailleurs intellectuels connus et moi-même, nous vendîmes ouvertement *La Cause du peuple* au centre de Paris. On ne nous inquiéta pas. Je me rappelle encore de la stupeur du policier qui, lors de la première vente, m'avait pris par le bras et prié de le suivre au commissariat quand quelqu'un lui cria de la foule : « Vous arrêtez un prix Nobel! » Il me lâcha aussitôt et s'enfuit à grands pas. D'autre part, il s'était constitué une société appelée « Les Amis de la Cause du peuple » qui nous soutenait. Bref, la tactique gouvernementale avait échoué. Ce qu'il reconnut après quelques tentatives de saisie, en sorte qu'un beau jour les policiers cessèrent d'assiéger l'imprimeur et que *La Cause du peuple* put se vendre librement dans les kiosques à journaux, toujours scandaleuse, si on la lit après *France-Soir* ou *L'Humanité*.

La solution n'était pourtant pas trouvée : la droite de la majorité était justement fort sensible à ce que j'échappais à la justice qui avait condamné Le Dantec et Le Bris. En outre, un journal d'opposition de droite nommé *Minute* réclama à grands cris mon emprisonnement. Le gouvernement s'arrêta encore à une demi-mesure. Il m'inculpa de diffamation. Les plaignants étaient le garde des Sceaux, ministre de la Justice et le ministre de l'Intérieur. Les articles incriminés avaient été choisis dans *La Cause du peuple* et dans *Tout* de 1970, c'est-à-dire que, selon la loi française, il y avait prescription. Le procureur dut faire des démarches officielles pour briser la prescription. Je fus inculpé au mois de juin 1971. Prévenu libre, je passai, comme chaque année, mes vacances en Italie et je revins en octobre pour l'instruction qui fut vite terminée. J'ai récolté cinq inculpations. *Quand* serai-je jugé et *comment?*

Quand, je l'ignore. Mais pour savoir *comment*, il

convient d'examiner l'histoire de la magistrature dans ces années de post-gaullisme.

Il n'est pas douteux que l'indépendance de la justice, telle qu'elle a été soulignée par Montesquieu, était jusqu'à la Cinquième République, en France, le caractère dont les juges étaient le plus fiers. Ils refusaient de servir un gouvernement, de quelque tendance fût-il, et dans l'histoire de la Troisième et de la Quatrième République, ils ont manifesté souvent cette autonomie. Dans les années cinquante, le président de la chambre des mises en accusation remit en liberté M. Jacques Duclos, député que le gouvernement prétendait avoir arrêté en flagrant délit lors d'une manifestation contre le général Ridgway.

Cependant, ceci est un trait général et qui n'est pas seulement de notre époque — je le note pour marquer les limites de cette indépendance — le juge est très généralement un bourgeois, fils de bourgeois, qui a dès le plus jeune âge reçu une éducation élitiste. Il a été soumis à une instruction sélective, il a triomphé de certaines compétitions, il est donc à la fois un produit de la sélection et un homme sélectionné dans son idéologie, son caractère et son métier. Montesquieu voulait que les accusés fussent jugés par leurs égaux dans toute la force du terme. On voit bien que cela est impossible : produit d'une sélection dont l'origine est la rareté et qui répand l'idée bourgeoise que les choses belles sont les choses rares, le juge pense mériter son pouvoir par sa rareté même. Il est un membre important de la hiérarchie bourgeoise et les inculpés qu'il juge lui paraissent ses inférieurs. Foucault faisait remarquer que l'analyse topographique d'un tribunal, la chaire qui sépare le président des accusés et des témoins, la différence de niveau qui existe entre l'un et les autres, suffit à marquer que le juge est d'une autre essence. Quelle que soit son impartialité, il traitera ceux qui sont justiçiables comme des objets et ne cherchera pas à connaître les motivations subjectives de leurs actes telles qu'elles peuvent apparaître à chacun d'entre eux. De toute manière, il est fort loin de la justice populaire qui se manifeste rarement dans un tribunal et qui, de toute manière, a une tout autre topographie puisque les témoins et les experts défilent sur l'estrade et que les juges se trouvent dans la salle, puisque le jury, c'est le public. Mais ces remarques ne sont pas propres à la période actuelle. Elles visent à montrer quel genre d'impartialité je dois attendre du juge. Disons qu'il s'agit d'une impartialité de classe, ce qui est naturel puisque je vais comparaître devant la justice bourgeoise.

Ce qui est de notre époque, par contre, c'est la tendance de la bourgeoisie gaulliste à limiter l'indépendance de la justice bourgeoise. Elle voudrait non seulement d'une justice de classe, mais d'une justice de parti. La phrase de De Gaulle sur la justice que je citais tout à l'heure, le gouvernement actuel l'interprète en ce sens que, pour lui, le judiciaire doit être aux ordres de l'exécutif. Aujourd'hui, en effet, le gouvernement pense avoir une double mission : d'une part livrer la France aux entreprises privées, d'autre part intégrer la classe ouvrière à la société bourgeoise, non pas en améliorant la condition du prolétariat mais par un usage constant de la répression. L'idéologie bourgeoise et le code du XIXe siècle, il les garde pour couverture, mais il sait fort bien que l'une et l'autre sont périmés. Il réprime en déviant les lois existantes ou en en faisant voter de nouvelles. En sorte que le juge qui doit appliquer les lois ne peut plus s'y reconnaître.

Les lois déviées : je n'en donnerai qu'un exemple, l'affaire Geismar. Un meeting a eu lieu pour protester contre l'arrestation de Le Bris et Le Dantec. Les quelque cinq mille participants criaient : « Le 27, dans la rue! »

Plusieurs orateurs ont parlé devant cette foule surchauf-
fée dont ils partageaient le point de vue. Un seul a été
arrêté, Geismar, qui a parlé huit minutes et n'a rien dit
de plus que les autres. Il répond *seul* de ce qui s'est passé
le 27. Au fait, que s'est-il passé? On ne le dit pas : pas
une attestation médicale, pas un témoignage de l'accusation. Le procureur reconnaît, d'ailleurs, qu'il s'agit
de « contusions et non pas de blessures ». Il a été établi,
par contre, que les policiers ont commencé les premiers,
à Censier, en jetant des grenades lacrymogènes. Et les
manifestants ont riposté en jetant des boulons. De
l'autre côté, sur le quai, la police n'a pas tiré et les manifestants, n'étant pas provoqués, n'ont pas contre-atta-
qué. Il est clair que la décision de manifester a cristal-
lisé au meeting et que les forces de l'ordre ont cherché
le coup dur, si possible sanglant. Par malheur, il n'y a
pas eu de blessés parmi les policiers. N'importe, Geismar est coupable d'avance : dix-huit mois ferme. C'est
qu'il était un des responsables de la Gauche prolétarienne dont M. Marcellin a dit à la radio : « Je la dissous
parce que ses membres voudront la reconstituer et nous
pourrons les mettre en prison. » Comme on voit, un ex-
G.P. est coupable d'avance. C'est ce qui est arrivé à
Geismar : les garanties bourgeoises lui ont été refusées;
il n'était pas besoin de prouver sa culpabilité, elle était
établie *a priori.* Il a été condamné en vertu des lois
préexistantes mais grossièrement faussées.

L'affaire des « Amis de la Cause du peuple » montre
comment on commence par fausser la loi, puis on passe
à voter une loi nouvelle anticonstitutionnelle, parce
que la précédente était insuffisante.

« Les Amis de la Cause du peuple » se sont déclarés
comme association à la Préfecture de police qui devait
leur donner un récépissé. La loi est ainsi : toute société
qui se constitue se déclare; elle est *reçue,* quitte à être
poursuivie et dissoute ensuite. Pour la première fois en

France, depuis que cette loi existe, le préfet de police, sur avis de M. Marcellin, nous refusa le récépissé. Il s'agissait donc pour le gouvernement qui ne se souciait ni de poursuivre ni d'accepter notre association de la refuser *contre la loi*. Nous portâmes plainte et le tribunal administratif nous donna raison : bel exemple d'indépendance. Nous reçûmes donc le récépissé. Mais le gouvernement, fort mécontent, fit voter à la sauvette par sa majorité, tout à fait docile, une loi nouvelle : on pourrait, quand on le jugerait nécessaire, refuser le récépissé et laisser à un tribunal le soin de le refuser définitivement ou de le donner. On voit que cette loi, non seulement compromettait gravement la liberté d'association, mais encore tentait de rendre le juge complice d'une certaine politique. Seule la politique, en effet, peut fournir des motivations pour refuser ou accepter une association puisque les associations de malfaiteurs, quand elles existent, sont clandestines. Heureusement, le conseil constitutionnel, avisé, rejeta la loi comme contraire à la constitution. En cette histoire, ce qui importe, c'est le cheminement de l'action : on passe d'une loi faussée au vote d'une loi anticonstitutionnelle, c'est-à-dire illégale. En ce cas précis, la justice s'est bien défendue. Pourra-t-on en dire autant lorsqu'elle a à appliquer des lois nouvelles régulièrement votées et anticonstitutionnelles comme la loi anticasseur et la loi antidrogue? Il faut bien que le juge les applique puisqu'elles ont été votées. Mais ce qu'il en pense, en son âme et conscience, personne ne le sait : il se peut, en bien des circonstances, qu'il soit contre la loi qu'il invoque. Mais dans le cas où le jugement qu'il rend contredit son idéologie ou la volonté générale qui s'exprime dans le code, que devient son indépendance?

Au reste, il ne faut pas nous arrêter là. Le fait est qu'on leur donne à juger des cas dont on leur refuse de connaître vraiment. De fait, mon cas, comme celui de tant de Français — surtout des jeunes — depuis 68 ressortit à la politique. Or il n'est pas de crime politique en France. Cela serait reconnaître, en effet, qu'une *autre* politique existe, dont on ne doit point faire état et que le seul fait de la pratiquer vous traîne devant les tribunaux. En fait, cette politique existe; c'est le socialisme *révolutionnaire*. Autrefois, c'était le communisme, mais depuis que ce grand parti s'est rangé dans l'opposition respectueuse, il n'y a plus qu'une politique défendue : celle qui veut renverser la bourgeoisie par la violence. Déclarer cela, ce serait faire de la propagande à cette politique. Ainsi voit-on des juges peu indépendants — il en existe en France, malheureusement — s'efforcer, au tribunal, de séparer la politique de la violence et de faire de celle-ci, coupée de ses buts et de ses raisons, un délit de droit commun. Je me rappelle — entre autres exemples — le procès du militant Roland Castro où j'étais témoin et que j'ai suivi d'un bout à l'autre. Castro, militant de V.L.R. qui, aujourd'hui, s'est dissous de lui-même, avait, avec des camarades et des intellectuels, occupé le bureau du C.N.P.F. pour protester contre la mort de cinq travailleurs immigrés, asphyxiés par le gaz quand ils avaient voulu se chauffer. Cette occupation symbolique et pacifique, à laquelle participaient Maurice Clavel, Michel Leiris et Jean Genet, avait pour but de désigner à l'opinion les vrais coupables de ces morts, les patrons français. Les C.R.S. appelés entrèrent à leur tour dans les bureaux du C.N.P.F. et délogèrent sans douceur les manifestants qui ne résistaient point, frappant sur chacun, envoyant rouler Maurice Clavel et Jean Genet au bas d'un escalier. Après quoi, ils firent entrer brutalement ceux qu'ils purent attraper dans des cars et les emmenèrent au commissariat d'où ils furent relâchés quelque temps après sauf un seul, Roland Castro, qui, à un feu rouge, était descendu du car et avait tenté de s'évader. Il avait

été rattrapé, ceinturé, battu et on l'avait ramené dans le
car. Il était inculpé de violences à agents. Encore fallait-il le prouver. Quand les deux agents l'avaient rattrapé, ils l'avaient solidement maintenu, lui avaient fait
un bras roulé, etc. Il était difficile d'admettre que ses
réactions constituaient des violences contre les agents.
Il fallut donc admettre, malgré dix-sept témoignages
contraires, que les deux agents se trouvaient, au
moment où Castro sortit du car, dehors, devant la porte,
qu'ils l'avaient attrapé une première fois, qu'il s'était
violemment dégagé et enfui. Alors, seulement, ils lui
auraient couru après et l'auraient rejoint. Mais ce qui
compte ici, c'est le délit. Castro, indigné par la façon
dont le patronat français traite les immigrés, occupe
indûment un local qui n'est pas sa propriété : voilà le
fait qu'un juge élitiste et respectant la propriété pouvait lui reprocher. Alors la défense de Castro eût été
politique : il eût exposé et jugé la politique du patronat
envers les immigrés. De cela, il n'a pas été question un
instant, bien que la plupart des témoins et les avocats
brûlassent de poser la défense sur ce terrain. Le problème devint fort simple : y avait-il ou n'y avait-il pas
d'agents dehors, devant la porte du car et Castro, en
descendant, les avait-il bousculés? Il pouvait bien être,
ce militant, un voleur ou un ivrogne arrêté pour tapage
nocturne. Des violences policières au C.N.P.F. qui pouvaient parfaitement justifier cette tentative de fuite, pas
un mot. Pourtant, on nous demandait de dire *toute* la
vérité. Mais le juge voulait toute la vérité sur un inci-
dent infinitésimal : ces deux hommes étaient-ils en tel
endroit? Et nous tous nous ne pouvions comprendre
qu'on n'envisage pas l'événement dans sa totalité, c'est-
à-dire à partir de la politique du gouvernement et du
patronat. Dire *toute* la vérité sur un instant infinitésimal, c'est une pure contradiction. La vérité se développe
dans le temps. Dans un instant borné, limité à lui-même,

il n'y a pas de vérité. Mais si l'on eût rétabli la vérité, parlé de la mort des travailleurs noirs et de l'occupation du C.N.P.F., le procès eût été politique, ce que ni le gouvernement, ni son représentant, le procureur, ni le juge ne voulaient. Dès lors, la conclusion s'impose : Castro a été condamné. Ce scandale a cessé quand les militants, dans les prisons, ont fait la grève de la faim en demandant le statut politique : on le leur accorda sous un faux nom.

Il y a plus grave encore : les événements ont rendu les juges abstraits. Ils rendent leur sentence, condamnent l'inculpé à une peine. Et, sans s'en rendre compte, ils l'ont, en fait, condamné à une autre, beaucoup plus grave. Leur sentence, en définitive, à leurs yeux et selon les lois, c'était une privation de liberté. Mais les prisons françaises, depuis dix ans, n'ont cessé de se dégrader : les gardiens frappent les prisonniers, un tribunal intérieur, souvent réduit au seul directeur, les condamne pour un oui pour un non au « mitard », cachot qui n'est pas chauffé et où ils demeurent huit jours, quinze jours, à demi nus. Quand un prisonnier tente de se suicider, ce qui est fréquent, on lui met la camisole de force et on le laisse plusieurs jours dans cet état, au point qu'il fait ses excréments sous lui et y croupit longtemps. Les gardiens surveillent les prisonniers, les gardiens surveillent les gardiens et même, certains prisonniers surveillent les gardiens. C'est que, dans les prisons, l'administration pénitentiaire est reine. Cela signifie que les peines sont appliquées par ce corps sans tête, cet ensemble de fonctionnaires mal payés, recrutés sans précautions, qui ont peur des prisonniers et, peu à peu, deviennent sadiques. Quand le juge a condamné l'accusé à un an de privation de liberté, il l'a condamné en fait à bien pis : il l'a remis aux mains de l'administration qui a tous les droits sur lui. Cette dégradation est en partie intentionnelle : le garde des Sceaux fait la politique du gouvernement, il frappe sans relâche sur les marginaux et les jeunes. Une question qui m'intéresse à titre personnel, c'est celle-ci : à quoi pense le juge quand il condamne? Est-il vraiment abstrait, comme je l'ai dit et ignore-t-il la vérité ou bien s'est-il laissé gagner par la politique du régime?

De fait — et c'est le dernier point que j'évoquerai — les juges sont soumis à des pressions considérables. Il y a des pressions que je dirai externes — je ne parle même pas du souci des magistrats pour leur avancement. La magistrature dans son ensemble a été insultée par un député important de la majorité, M. Tomasini, qui lui a reproché sa lâcheté parce qu'elle ne condamnait pas assez, selon lui. Et puis il ne fait pas bon de dire la vérité. Le juge d'application des peines à Toul était sourd comme un pot, ce qui a valeur de symbole. Mais celui de Clairvaux avait des yeux pour voir et des oreilles pour entendre. Il fit au garde des Sceaux un rapport important sur la prison de Clairvaux et fut immédiatement déplacé, ce qui prouve bien que lorsque M. Pleven doit choisir entre un juge et l'administration pénitentiaire, il donne automatiquement raison à l'administration. On le comprendra quand on saura que le directeur de la prison de Toul, avant la révolte, était considéré comme le meilleur administrateur de l'époque. Dans mon cas, qu'on pense ce que pourront être les pressions si l'on se rappelle que l'un des deux plaignants est le ministre de la Justice.

Il y a aussi des pressions que j'appellerai *internes*, c'est-à-dire inhérentes au système judiciaire. Le juge a besoin de la police qui appartient au ministre de l'Intérieur. Il faut qu'il la ménage et il est rare qu'il condamne des policiers. Les policiers sont assermentés et, quand ils témoignent, leur parole est inconditionnellement tenue pour véridique. On l'a vu dans le cas de Castro : deux policiers soutenaient s'être trouvés

devant la porte d'un car, alors que dix-sept témoignages infirmaient cette déclaration. Ce fut elle que l'on
tint pour vraie. Cela est particulièrement grave aujour-
d'hui car la police française, depuis la guerre d'Algérie,
a beaucoup changé : elle frappe souvent violemment
et sans raison, on y trouve des fascistes, des racistes,
d'anciens O.A.S. Or ces policiers, dès qu'ils ont frappé
trop fort un homme, viennent déclarer que cet homme —
quelles que soient sa taille et sa force — leur a fait subir
des violences. Le juge les croit régulièrement, car il ne
peut faire autrement : il est donc contraint de l'intérieur
du système à protéger des hommes qui ne sont souvent
que des violents, des sadiques, quand ce n'est pas des
assassins.

La Justice est donc contrainte d'appliquer des lois
faussées ou de nouvelles lois anticonstitutionnelles; elle
n'a pas les moyens de juger un délit politique et doit
nécessairement réduire le délit à un délit de droit
commun. On l'a vu récemment au procès fait au journal
Coupure qui avait réédité les textes de *La Cause du
peuple* sur lesquels s'était appuyé le procureur lors du
procès de Le Dantec. Le président du tribunal a dit à un
témoin : « Nous ne faisons pas de politique. » Si on ne
faisait pas de politique, de quoi diable parlait-on? La
Justice est soumise à de violentes pressions du gouvernement qui estime qu'elle est à ses ordres. Elle doit
ménager la police et croire les témoignages des policiers. Les peines qu'elle prononce ne sont pas celles que
le condamné subit. Dirai-je que le gouvernement a
réussi à lui faire perdre son indépendance bourgeoise?
Pas encore, mais la situation s'est aggravée et il
faut admirer les juges qui résistent et sont encore
indépendants. D'autant que, la plupart du temps,
leur formation et leur culture sont bourgeoises et
qu'ils sont peu suspects de partager les vues des
révolutionnaires qu'on leur défère. Ils n'ont donc pour

les soutenir que le schème abstrait de l'indépendance.

Telle est, par rapport aux délits politiques, et, par conséquent, à celui qui m'est reproché, la situation de mes juges. Je ne sais qui ils seront. Jusqu'ici je n'ai encore eu affaire qu'à trois juges d'instruction. Tous sont corrects mais un seul m'a tendu la main quand je suis entré dans son bureau. Très légère crise de conscience? Dans un salon, les autres m'auraient certainement serré la main. Pour les magistrats qui auront à me condamner, le mieux que je puisse espérer c'est qu'ils fassent en toute conscience leur métier qui est d'appliquer les lois de la justice de classe. Le pire ce serait que je tombe sur un de ceux qui ont fini par abdiquer leur indépendance : en ce cas je serai jugé indirectement par MM. Pleven et Marcellin, ces importants plaignants qui ne m'aiment guère.

Il n'est pas douteux que j'ai voulu contribuer à la libération de l'éthique et de la justice populaires : tel est mon crime. Un tribunal populaire m'acquitterait. Mais comment puis-je raisonnablement penser qu'un produit de la sélection pourra descendre — si l'on appelle cela descendre — au niveau du peuple opprimé et exploité et considérer les socles écrasants sur lesquels repose la hiérarchie bourgeoise *avec des yeux populaires?* Tout m'interdit de l'espérer. Je ne pense pas être condamné à de la prison. Ou peut-être avec sursis. Mais j'imagine qu'on me donnera — c'est l'habitude du gouvernement — une forte amende pour m'ôter le goût de quitter ma classe. Ce sera le prix que je paierai pour avoir usé dans mon procès du tribunal comme d'une tribune et fait une défense politique pour un crime qui n'est pas politique, puisque le gouvernement considère qu'il n'y en a pas.

ÉLECTIONS, PIÈGE A CONS

En 1789 on établit le vote censitaire : c'était faire voter non les hommes mais les propriétés *réelles* et bourgeoises qui ne pouvaient donner leurs suffrages qu'à elles-mêmes. Ce système était profondément injuste puisqu'on excluait du corps électoral la majeure partie de la population française mais il n'était pas absurde. Certes les électeurs votaient isolément et en secret : cela revenait à les séparer les uns des autres et à n'admettre entre leurs suffrages que des liens d'extériorité. Mais ces électeurs étaient tous des possédants, donc déjà isolés par leurs propriétés qui se refermaient sur eux et repoussaient les choses et les hommes de toute leur impénétrabilité matérielle. Les bulletins de vote, quantités discrètes, ne faisaient que traduire la séparation des votants et l'on espérait, en additionnant les suffrages, faire ressortir l'intérêt commun du plus grand nombre, c'est-à-dire leur intérêt de classe. Vers le même temps la Constituante adoptait la loi Le Chapelier dont le but avoué était de supprimer les corporations mais qui visait, en outre, à interdire toute association des travailleurs entre eux et contre leurs employeurs. Ainsi, les non-possédants, citoyens passifs qui n'avaient aucun accès à la démocratie indirecte, c'est-à-dire au vote dont usaient les riches pour élire

leur gouvernement, se voyaient retirer, par-dessus le
marché, toute licence de se grouper et d'exercer la
démocratie populaire ou directe, la seule qui leur convînt
puisqu'ils n'étaient pas susceptibles d'être séparés
par leurs biens.

Lorsque, quatre ans plus tard, la Convention rem-
plaça le suffrage censitaire par le suffrage universel,
elle ne crut pas bon, pour autant, d'abroger la loi
Le Chapelier, en sorte que les travailleurs, définitivement
privés de la démocratie directe, durent voter en pro-
priétaires bien qu'ils ne possédassent rien. Les regroupements populaires, interdits mais fréquents, devinrent
illégaux en demeurant légitimes. Aux assemblées élues
par le suffrage universel se sont donc opposés en 1794
puis lors de la Seconde République en 1848, enfin à
l'orée de la Troisième, en 1870, des regroupements
spontanés mais parfois fort étendus qu'on devait appeler justement les classes populaires ou le peuple. En
1848, en particulier, on crut voir s'opposer à une
Chambre élue au suffrage universel reconquis, un pouvoir ouvrier qui s'était constitué dans la rue et dans les
Ateliers nationaux. On sait le dénouement : en mai-
juin 1848, la légalité massacre la légitimité. En face
de la légitime Commune de Paris, la très légale Assemblée de Bordeaux tranférée à Versailles n'eut qu'à
imiter cet exemple. A la fin du siècle dernier et au début
de celui-ci les choses parurent changer : on reconnut
aux ouvriers le droit de grève, les organisations syndi-
cales furent tolérées. Mais les présidents du Conseil,
chefs de la légalité, ne supportaient pas les poussées
intermittentes du pouvoir populaire. Clemenceau, en
particulier se signala comme briseur de grèves. Tous,
obsédés par la crainte des deux pouvoirs, refusaient la
coexistence du pouvoir légitime, né ici ou là de l'unité
réelle des forces populaires et de celui faussement un
qu'ils exerçaient et qui reposait, en définitive, sur l'in-

finie dispersion des votants. De fait ils fussent tombés dans une contradiction qui n'eût pu se résoudre que par la guerre civile puisque celui-ci avait pour fonction de désarmer celui-là.

En votant demain, nous allons, une fois de plus, substituer le pouvoir légal au pouvoir légitime. Le premier, précis, d'une clarté en apparence parfaite, atomise les votants au nom du suffrage universel. L'autre est encore embryonnaire, diffus, obscur à lui-même : il ne fait qu'un, pour l'instant, avec le vaste mouvement antihiérarchique et libertaire qu'on rencontre partout mais qui n'est point encore organisé. Tous les électeurs font partie des groupements les plus divers. Mais ce n'est pas en tant que membre d'un groupe mais comme *citoyens* que l'urne les attend. L'isoloir, planté dans une salle d'école ou de mairie, est le symbole de toutes les trahisons que l'individu peut commettre envers les groupes dont il fait partie. Il dit à chacun : « Personne ne te voit, tu ne dépends que de toi-même; tu vas décider dans l'isolement et, par la suite, tu pour- ras cacher ta décision ou mentir. » Il n'en faut pas plus pour transformer tous les électeurs qui entrent dans la salle en traîtres en puissance les uns pour les autres. La méfiance accroît la distance qui les sépare. Si nous voulons lutter contre l'atomisation, encore faut-il tenter d'abord de la comprendre.

Les hommes ne naissent pas dans la séparation : ils surgissent au milieu d'une famille qui les *fait* pendant leurs premières années. Par la suite, ils feront partie de différentes communautés socioprofessionnelles et fonde- ront eux-mêmes une famille. On les atomise quand de grandes forces sociales — les conditions de travail en régime capitaliste, la propriété privée, les institu- tions, etc. — s'exercent sur les groupes dont ils font partie pour les morceler et les réduire aux unités dont on prétend qu'ils se composent. L'armée, pour ne citer qu'un exemple d'institution, ne considère jamais la personne concrète de l'appelé, qui ne peut se saisir que sur la base de son appartenance à des groupes existants. Elle n'envisage en lui que l'*homme,* c'est-à-dire le soldat, entité abstraite qui se définit par les devoirs et les rares droits représentant ses rapports avec le pouvoir militaire. Ce « soldat », que précisément l'appelé n'est pas mais auquel le service militaire entend le réduire, est *autre* en lui que lui-même et *identiquement* autre chez tous les incorporés d'une même classe. C'est cette identité même qui les sépare puisqu'elle ne représente pour chacun que l'ensemble préétabli de ses relations avec l'armée. Ainsi, pendant les heures d'entraînement, chacun est autre que soi et, du coup, identique à tous les Autres qui sont autres qu'eux-mêmes. Il ne peut avoir de rapports réels avec ses camarades que si, pendant les repas ou le soir, à la chambrée, ils dépouillent tous ensemble leur être-soldat. Cependant le mot, si souvent employé, d'atomisation ne rend pas la véritable situation des personnes éparpillées et aliénées par les institutions. On ne peut les réduire à la solitude absolue de l'atome bien qu'on tente de remplacer leurs relations concrètes avec les personnes par de simples liens d'extériorité. On ne peut les exclure de toute vie sociale : le soldat prend l'autobus, achète le journal, il vote. Cela suppose qu'il use des « collectifs » avec les Autres. Simplement les collectifs s'adressent à lui comme à un membre d'une série (celle des acheteurs de journaux, des téléspectateurs, etc.). Il devient identique quant à l'essence à tous les autres membres et ne diffère d'eux que par son numéro d'ordre. Nous dirons qu'il est sérialisé. On retrouverait la sérialisation de l'action dans le champ pratico-inerte où la matière se fait médiation entre les hommes dans la mesure où les hommes se font médiation entre les objets matériels (dès qu'un homme prend le volant de son auto il n'est plus qu'un conducteur parmi des autres et, de ce fait, contribue à ralentir la vitesse de tous et la sienne propre, ce qui est le contraire de ce qu'il souhaitait en tant qu'il voulait posséder *lui-même* une voiture).

A partir de là naît en moi la pensée sérielle qui n'est pas ma pensée propre mais celle de l'Autre que je suis et celle de tous les Autres; il faut l'appeler la pensée d'impuissance car je la produis en tant que je suis l'Autre, ennemi de moi-même et des Autres et que j'emporte partout cet Autre avec moi. Supposons une entreprise où aucune grève ne s'est déclarée depuis vingt ou trente ans, mais où le pouvoir d'achat de l'ouvrier diminue constamment à cause de la « vie chère ». Chaque travailleur commence à envisager une action revendicatrice. Mais les vingt années de « paix sociale » ont établi peu à peu entre les travailleurs des relations de sérialité. Toute grève — fut-elle de vingt-quatre heures — demanderait un regroupement des travailleurs. A cet instant la pensée sérielle — qui sépare — résiste fortement aux premières manifestations de la pensée de groupe. Elle sera raciste (les immigrés ne nous suivraient pas), misogyne (les femmes ne nous comprendraient pas), hostile aux autres catégories sociales (les petits commerçants ne nous aideraient pas plus que les paysans de l'arrière-pays), méfiante (mon voisin est un *Autre;* donc je ne sais pas comment il réagirait), etc. Toutes ces propositions séparatistes ne représentent pas la pensée des ouvriers eux-mêmes mais celle des *autres* qu'ils sont et qui veulent maintenir leur statut d'identité et de séparation. Que le regroupement réussisse, on ne retrouvera plus trace de cette idéologie pessimiste. Elle n'avait d'autre fonction que de justifier le maintien de l'ordre sériel et de l'impuissance partiellement subie, partiellement acceptée.

Le suffrage universel est une institution donc un col-

lectif qui atomise ou sérialise les hommes concrets et
s'adresse en eux à des entités abstraites, les citoyens,
définis par un ensemble de droits et de devoirs politiques, c'est-à-dire par leur rapport à l'État et à ses
institutions. L'État en fait des citoyens en leur donnant,
par exemple, le droit de voter une fois tous les quatre
ans, à condition qu'ils répondent à des conditions très
générales — être français, avoir plus de vingt et un
ans — qui ne caractérisent vraiment aucun d'entre eux.
De ce point de vue, tous les citoyens, qu'ils soient nés à
Perpignan ou à Lille, sont parfaitement identiques,
comme nous avons vu qu'étaient les soldats dans l'armée : on ne s'intéresse pas à leurs problèmes concrets,
qui naissent dans leurs familles ou dans leurs rassem-
blements socioprofessionnels. En face de leurs solitudes
abstraites et de leurs séparations se dressent des
groupes ou partis qui sollicitent leurs voix. On leur dit
qu'ils vont déléguer leur pouvoir à l'un ou à plusieurs de
ces groupements politiques. Mais, pour « déléguer son
autorité », il faudrait que la série constituée par l'institution du vote en possédât au moins une parcelle. Or ces
citoyens identiques et fabriqués par la loi, désarmés,
séparés par la méfiance de chacun envers chacun, mys-
tifiés mais conscients de leur impuissance, ne peuvent
en aucun cas, tant qu'ils ont le statut sériel, constituer
ce groupe souverain dont on nous dit qu'émanent tous
les pouvoirs : le Peuple. Attendu qu'on leur a octroyé le
suffrage universel, nous l'avons vu, pour les atomiser
et les empêcher de se grouper entre eux. Les seuls partis, étant originellement des groupes — d'ailleurs plus
ou moins sérialisés et bureaucratisés —, peuvent se
considérer comme ayant un embryon de pouvoir. En ce
sens, il faudrait inverser la formule classique et quand
un parti dit : « Choisissez-moi! » ne pas entendre par là
que les électeurs lui délégueraient leur souveraineté,
mais que les votants refusant de s'unir en groupe pour

accéder à la souveraineté désigneraient une ou plusieurs
des communautés politiques déjà constituées pour
étendre le pouvoir qu'elles possèdent déjà jusqu'aux
limites nationales. Aucun parti ne pourra représenter
la série de citoyens car il tire sa puissance de lui-même,
c'est-à-dire de sa structure communautaire; la série
d'impuissance ne peut, en aucun cas, lui déléguer une
parcelle d'autorité. Mais, au contraire, le parti, quel
qu'il soit, use de son autorité pour agir sur la série en
réclamant qu'elle lui donne ses votes; et son autorité
sur les citoyens sérialisés n'est limitée que par celle
qu'ont tous les autres partis ensemble. En un mot,
quand je vote, j'abdique mon pouvoir − c'est-à-dire la
possibilité qui est en chacun de constituer avec tous les
autres un groupe souverain qui n'a nul besoin de représentants − et j'affirme que nous, les votants, sommes
toujours autres que nous-mêmes et que nul d'entre nous
ne peut en aucun cas quitter la sérialité pour le groupe,
sinon par personnes interposées. Voter, c'est sans
doute, pour le citoyen sérialisé, donner sa voix à un
parti, mais c'est surtout voter pour le vote, comme dit
Kravetz ici même, c'est-à-dire pour l'institution politique qui nous maintient en état d'impuissance sérielle.
On l'a vu, en juin 1968, quand de Gaulle a demandé à
la France debout et groupée de voter, c'est-à-dire de se
coucher et de se vautrer dans la sérialité. Les groupes
non institutionnels se défirent, les électeurs, identiques
et séparés, votèrent pour l'U.D.R. qui promettait de
les défendre contre l'action des groupes qu'ils constituaient encore quelques jours plus tôt. On le voit encore
aujourd'hui quand Séguy demande trois mois de paix
sociale pour ne pas inquiéter les électeurs, en vérité
pour que les élections soient *possibles,* ce qu'elles ne
seraient plus si quinze millions de grévistes déterminés
et instruits par l'expérience de 1968 refusaient de
voter et passaient à l'action directe. L'électeur doit

demeurer couché et se pénétrer de son impuissance;
ainsi choisira-t-il des partis pour qu'ils exercent *leur*
autorité et non la sienne. Ainsi, chacun, fermé sur son
droit de vote comme un propriétaire sur sa propriété,
choisira ses maîtres pour quatre ans sans voir que ce
prétendu droit de vote n'est que l'interdiction de s'unir
aux autres pour résoudre par la *praxis* les vrais problèmes.

Le mode de scrutin, toujours choisi par les groupes de
l'Assemblée et jamais par les électeurs, aggrave les
choses. La proportionnelle n'arrachait pas les votants
à la sérialité; du moins utilisait-elle *tous* les votes.
L'Assemblée donnait une image correcte de la France
politique, c'est-à-dire sérialisée, puisque les partis
étaient représentés proportionnellement au nombre de
voix que chacun avait obtenu. Notre scrutin de liste, au
contraire, s'inspire du principe opposé qui est, disait
fort justement un journaliste, que 49 % = 0. Si dans une
circonscription, au deuxième. tour, les candidats U.D.R.
obtiennent 50 % des voix, ils sont tous élus. Les 49 %
de l'oppositon tombent dans le néant : ils correspondent
en gros à la moitié de la population qui n'a pas le droit
d'être représentée.

Dans ce système, prenons un électeur qui a voté communiste en 1968 et dont les candidats n'ont pas été
élus. Il va voter — supposons-le — pour le même P.C. en
1973. Si les résultats sont différents de ceux de 1968,
cela ne dépendra pas de lui puisqu'il aura, dans les
deux cas, donné sa voix aux mêmes candidats. Pour que
son vote soit utile, il faut qu'un certain nombre d'électeurs qui ont voté en 1968 pour la majorité actuelle
s'en détachent, lassés, et veuillent voter plus à gauche.
Mais d'abord ce n'est pas l'affaire de notre homme que
de les décider; au reste, ils sont vraisemblablement
d'un autre milieu et il ne les connaît même pas. Tout se
fera ailleurs et autrement : par la propagande des

partis, par certains organes de presse. L'électeur du
P.C. lui, n'a qu'à voter, c'est tout ce qu'on lui demande :
il votera mais ne participera pas aux actions qui visent
à modifier le sens de son vote. Au reste, beaucoup de
ceux qu'on pourra peut-être faire changer d'avis sont
hostiles à l'U.D.R. mais viscéralement anticommu-
nistes : ils préféreront élire des « réformateurs » qui
deviendront ainsi les arbitres de la situation. Il n'est pas
vraisemblable qu'ils se joignent alors au P.S.-P.C. ; ils
apporteront donc leur force d'appoint à l'U.D.R. qui
veut conserver comme eux le régime capitaliste. L'alliance de l'U.D.R. et des réformateurs, tel est le sens
objectif du vote de l'électeur communiste : il est en
effet nécessaire, pour que le P.C. garde ses suffrages et
même en gagne et c'est ce gain qui diminuera le nombre
des élus de la majorité et les déterminera à se jeter dans
les bras des réformateurs. Il n'y a rien à dire si l'on
accepte les règles de ce jeu de cons. Mais, en tant
que notre électeur est lui-même, c'est-à-dire en tant
qu'homme concret, le résultat qu'il aura obtenu comme
Autre identique ne le satisfera nullement. Ses intérêts
de classe et ses déterminations individuelles coïnci-
daient pour lui faire choisir une majorité de gauche.
Il aura contribué à envoyer à l'Assemblée une majorité
de droite et du centre où le parti le plus important sera
encore l'U.D.R. Ainsi, quand cet homme mettra son
bulletin dans l'urne, celui-ci recevra des autres une
signification autre que celle qu'il aura entendu lui donner : nous retrouvons ici l'action sérielle telle que nous
l'avons trouvée dans le secteur pratico-inerte.

On va plus loin encore : puisque j'affirme, en votant,
mon impuissance institutionnalisée, la majorité en
place ne se gêne pas pour tailler, couper et manipuler le
corps électoral, avantageant les campagnes et les villes
qui « votent bien » aux dépens des banlieues et fau-
bourgs qui « votent mal ». En sorte que même la séria-

lité de l'électorat est transformée. Si elle était parfaite,
une voix en vaudrait une autre. Nous sommes loin du
compte : il faut cent vingt mille voix pour élire un député
communiste, trente mille pour envoyer à l'Assemblée un
U.D.R. Un électeur de la majorité vaut quatre électeurs
du P.C. C'est qu'il vote contre ce qu'il faut appeler une
supermajorité, c'est-à-dire contre une majorité qui
veut se maintenir en place par d'autres moyens que la
sérialité pure des votes.

Pourquoi voterai-je? Parce qu'on m'a convaincu que
le seul acte politique de ma vie consiste à porter mon
suffrage dans l'urne une fois tous les quatre ans? Mais
c'est le contraire d'un acte. Je ne fais que révéler mon
impuissance et obéir au pouvoir d'un parti. En outre,
je dispose d'une voix de valeur variable selon que j'obéis
à celui-ci ou à celui-là. Par cette raison, la majorité de
la future Assemblée ne reposera que sur une coalition
et les décisions qu'elle prendra seront des compro-
mis qui pourront ne refléter aucunement les désirs
qu'exprimait mon vote. En 1959, la majorité a voté
pour Guy Mollet parce qu'il prétendait faire la paix
au plus vite en Algérie. Le gouvernement socialiste qui
prit le pouvoir décida d'intensifier la guerre : ce qui
amena beaucoup d'électeurs à passer de la série qui ne
sait jamais pour qui elle vote ni pour quoi au groupe
d'action clandestine. C'est ce qu'ils auraient dû faire
bien plus tôt mais, en fait, ce fut l'improbable résultat
de leurs votes qui dénonça l'impuissance du suffrage
universel.

En vérité, tout est clair, si l'on y réfléchit et l'on arrive
à la conclusion que la démocratie indirecte est une mystification. On prétend que l'Assemblée élue est celle qui
reflète le mieux l'opinion publique. Mais il n'y a d'opinion publique que sérielle. L'imbécillité des mass media,
les déclarations du gouvernement, la manière partiale
ou tronquée dont les journaux reflètent les événements,

tout cela vient nous chercher dans notre solitude sérielle et nous leste d'idées de pierre, faites de ce que nous pensons que les autres penseront. Sans doute y a-t-il au fond de nous-mêmes des exigences et des protestations, mais, faute d'être entérinées par les autres, elles s'écrasent en nous laissant des « bleus à l'âme » et un sentiment de frustration. Ainsi, quand on nous appelle à voter, ai-je, moi Autre, la tête farcie d'idées pétrifiées que la presse ou la télé y ont entassées et ce sont ces idées sérielles qui s'expriment par mon vote mais ce ne sont pas *mes* idées. L'ensemble des institutions de la démocratie bourgeoise me dédouble : il y a moi et tous les Autres qu'on me dit que je suis (Français, soldat, travailleur, contribuable, citoyen, etc.). Ce dédoublement nous fait vivre dans ce que les psychiatres nomment une crise d'identité perpétuelle. En somme qui suis-je? Un autre identique à tous les autres et habité par ces pensées d'impuissance qui naissent partout et ne sont *pensées* nulle part ou bien moi-même? Et qui vote? Je ne m'y reconnais plus.

Il en est pourtant qui voteront, comme ils disent : « Pour changer de crapules », ce qui veut dire qu'à leurs yeux, le renversement de la majorité U.D.R. a priorité absolue. Et je reconnais qu'il serait beau de jeter par terre ces politiciens véreux. Mais a-t-on réfléchi qu'on doit, pour les renverser, mettre à leur place une autre majorité qui conserve les mêmes principes électoraux?

U.D.R., réformateurs et P.C.-P.S. sont concurrents : ces partis se placent sur un terrain commun qui est la représentation indirecte, leur pouvoir hiérarchique et l'impuissance des citoyens, bref le « système bourgeois ». Que le P.C. qui se prétend révolutionnaire en soit tombé, depuis la coexistence pacifique, à quêter le pouvoir bourgeoisement en acceptant l'institution du suffrage bourgeois devrait pourtant donner à réfléchir. C'est à qui endormira le mieux les citoyens : l'U.D.R. parle d'ordre, de paix sociale, le P.C. tente de faire oublier son image de marque révolutionnaire. Il y parvient si bien, ces temps-ci, avec l'aide empressée des socialistes, que, s'il arrivait à prendre le pouvoir grâce à nos votes, il repousserait *sine die* la révolution et deviendrait le plus stable des partis électoraux. Y a-t-il tant d'avantages à changer? De toute manière, on noiera la Révolution dans les urnes, ce qui n'est pas étonnant puisque, de toute manière, elles sont faites pour cela.

Certains, pourtant, veulent être machiavéliques, c'est-à-dire se servir de leurs suffrages pour obtenir un résultat autre que sériel. Ils espèrent en envoyant, s'ils le peuvent, une majorité P.C.-P.S. à l'Assemblée nouvelle contraindre Pompidou à jeter le masque, bref à dissoudre la Chambre, en d'autres termes à nous forcer à la lutte active, classe contre classe ou plutôt groupe contre groupe, à la guerre civile peut-être. Quelle étrange idée de nous sérialiser conformément aux vœux de l'ennemi pour qu'il réagisse par la violence et nous oblige à nous grouper. C'est une erreur. Pour machiavéliser il faut partir de données certaines et dont on peut prévoir l'effet. Tel n'est pas le cas : on ne peut prévoir à coup sûr les résultats d'un suffrage sérialisé : il est prévisible que l'U.D.R. perdra des sièges et que le P.S.-P.C. et les réformateurs en gagneront; le reste n'est pas assez probable pour qu'on définisse une tactique à partir de ça. Un seul signe : le sondage de l'I.F.O.P. publié dans *France-Soir* le 4 décembre : 45 % au P.C.-P.S., 40 % à l'U.D.R., 15 % aux réformateurs. Et cette curieuse constatation : il y a beaucoup plus de suffrages pour P.C.-P.S. que de gens qui sont persuadés que cette coalition gagnera. Donc il y aura — compte tenu de toutes les incertitudes d'un sondage — beaucoup de gens pour voter pour la gauche avec la certitude qu'elle ne récoltera pas la majorité des suffrages : encore de ces gens pour qui l'élimination de l'U.D.R. est prioritaire mais qui n'ont pas tellement envie de la remplacer par la gauche. Ces remarques donnent donc, au moment où j'écris, 5 janvier 1973, pour probable une majorité U.D.R.-Réformateurs. En ce cas, Pompidou ne dissoudra pas l'Assemblée, il préférera s'arranger des réformateurs : la majorité s'assouplira un peu, il y aura moins de scandales, c'est-à-dire qu'on s'arrangera pour qu'ils soient moins facilement découverts, J.-J. S.-S. et Lecanuet entreront dans le gouvernement. C'est tout. Le machiavélisme se retournera donc contre les petits Machiavels.

S'ils veulent revenir à la démocratie directe, celle du peuple en lutte contre le système, celle des hommes concrets contre la sérialisation qui les transforme en choses, pourquoi ne pas commencer par là? Voter, ne pas voter, c'est pareil. S'abstenir, en effet, c'est confirmer la majorité nouvelle, quelle qu'elle soit. Quoi qu'on fasse à ce sujet, on n'aura rien fait si l'on ne lutte en même temps, cela veut dire dès aujourd'hui, contre le système de la démocratie indirecte qui nous réduit délibérément à l'impuissance, en tentant, chacun selon ses ressources, d'organiser le vaste mouvement antihiérarchique qui conteste partout les institutions.

Les Temps modernes,
n° 318, janvier 1973.

II

Entretiens sur moi-même

SUR « L'IDIOT DE LA FAMILLE »

— *Vous travaillez sur Flaubert depuis fort longtemps déjà. Pouvez-vous nous dire quelles ont été les différentes étapes de votre travail et pourquoi, en particulier, la parution de votre étude a été retardée jusqu'à maintenant ?*

JEAN-PAUL SARTRE. — Vous savez déjà par *Les Mots* que j'ai lu Flaubert dans mon enfance. Je l'ai relu de près à l'École normale et je me souviens ensuite avoir repris *L'Éducation sentimentale* dans les années trente. J'ai toujours eu une sorte d'animosité contre les personnages de Flaubert. C'est parce qu'il se met en eux et qu'étant lui-même à la fois sadique et masochiste, il nous les fait voir en même temps comme très misérables et antipathiques : Emma est bête et méchante, et tous les personnages ne valent guère mieux, sauf Charles qui représente, je l'ai découvert après coup, un des idéaux de l'auteur.

Le moment où j'ai véritablement affronté Flaubert, c'est pendant l'Occupation lorsque j'ai lu la *Correspondance* en quatre volumes éditée chez Charpentier ; j'ai trouvé à l'époque que le personnage me déplaisait mais j'ai découvert dans cette correspondance des éléments qui m'éclairaient sur les romans. Après quelque réflexion, je me suis dit en 1943 que j'écrirais certainement un jour un livre sur Flaubert; je l'ai d'ailleurs annoncé dans *L'Être et le Néant* à la fin du chapitre sur la psychanalyse existentielle.

Je n'ai pas caché mon antipathie pour Flaubert, dans *Qu'est-ce que la littérature?* Mais, dans l'ensemble, je n'ai guère pensé à lui de 1943 à 1954 : j'avais alors d'autres livres à écrire. Vers 1954, à l'époque où j'étais proche du parti communiste, Roger Garaudy m'a proposé : « Prenons un personnage quelconque et essayons de l'expliquer, moi selon les méthodes marxistes et vous selon vos méthodes existentialistes. » Il croyait que je prendrais les choses dans le subjectif tandis que lui les prendrait dans l'objectivité. L'initiative de la comparaison est donc venue de lui mais c'est moi qui ai choisi Flaubert, en pensant à *Madame Bovary* : c'est un livre que Flaubert a toujours détesté et qui lui a valu à la fois une gloire à laquelle il ne s'attendait pas et une infamie.

En trois mois, j'ai rempli une douzaine de cahiers : c'était à la fois rapide et superficiel mais je me servais déjà des méthodes psychanalytiques et marxistes. Ces cahiers, je les ai montrés à Pontalis qui venait alors d'écrire une étude sur la maladie de Flaubert et qui m'a dit : « Pourquoi n'en faites-vous pas un livre? » Je m'y suis donc mis et j'ai rédigé une étude d'environ mille pages que j'ai cependant abandonnée vers 1955. Quelque temps après, je me suis dit que je ne pouvais continuer à abandonner mes travaux en cours de route (*L'Être et le Néant* annonce une morale qui n'a jamais été donnée, la *Critique de la raison dialectique* en reste à son tome 1er, l'étude sur le Tintoret a été interrompue au milieu, etc.) et qu'il fallait que je finisse un jour quelque chose dans ma vie. Ce besoin d'aller jusqu'au bout, cette résolution ne m'ont pas quitté depuis : le *Flaubert* m'a tenu dix ans et je peux dire que depuis *Les Séquestrés d'Altona,* bien que naturellement j'aie

eu d'autres occupations, je n'ai fait que ça. *Les Mots*
étaient déjà écrits en partie : il m'a suffi de trois mois,
en 1963, pour reprendre la première version et lui enle-
ver le caractère un peu trop ironique que je lui avais
donné. C'est ainsi que mon étude a connu trois ou quatre
versions avant celle qui paraît aujourd'hui et qui a été
récrite de fond en comble en 1968-1970. Paraissent
maintenant les deux premiers tomes : il y en aura, je
pense, deux autres.

Quant au retard que vous relevez, il est dû tout simplement à une volonté d'approfondissement et à l'apport
d'éléments nouveaux.

— *Vous avez dit à propos de la* Critique de la raison
dialectique *que l'ouvrage aurait pu être mieux écrit,
plus resserré. Comme Marx, il semble que vous n'ayez
pas le temps de « faire court ». Êtes-vous satisfait de la
forme de votre étude?*

— Sur le plan matériel, j'ai pu constater, en feuilletant
le livre, un certain nombre d'erreurs : c'est ainsi que le
père de Flaubert a écrit un traité de *physiologie* et non
de philosophie; vers la fin c'est d'Elbehnon, le personnage d'*Igitur* de Mallarmé que je veux parler, etc.

Sur le plan de la forme, j'ai exactement voulu le style
du *Flaubert* car je n'ai pas voulu me donner de peine.
On doit écrire des livres comme celui-là sans que jamais
le souci du style prédomine. Le style, c'est Flaubert qui
l'a; si l'on écrivait en style sur un écrivain qui n'a fait
que rechercher toute sa vie le style, ce serait de la folie.
(Pourquoi perdre du temps à composer des phrases
belles?) Mon but est de montrer une méthode et de montrer un homme.

Le livre a été écrit au fil de la plume : la forme la plus
simple et la plus courante est la meilleure; si quelquefois le style apparaît, c'est parce qu'on ne peut pas
dire autrement qu'en style certaines choses du type
« indisable » ou difficiles à dire.

Le sens du style dans *Les Mots*, c'est que le livre est un adieu à la littérature : un objet qui se conteste soi-même doit être écrit le mieux possible. Si le *Flaubert* ressemble aux *Mots* par endroits, c'est parce qu'après cinquante ahs d'écriture, on finit par être imbu de son propre style et que certaines formules viennent spontanément, sans aucun travail.

Bien que je n'aie fait que cela depuis plusieurs années, j'ai eu du plaisir à écrire le *Flaubert* et cela n'a jamais été un pensum pour moi. En revanche, je n'ai plus aucune opinion sur le livre; je suis trop dedans et je suis déjà dehors. Et surtout j'en suis à un stade intermédiaire, un stade de demi-vide, entre ces deux volumes achevés et la suite à écrire. Cela ne m'inquiète pas car je suis sûr de pouvoir terminer le *Flaubert*. Je suis resté depuis fin octobre jusqu'à maintenant sans presque écrire une ligne : c'est la première fois que je prends un repos de six mois depuis avant la guerre.

— *Il semble qu'en écrivant* L'Idiot de la famille *vous ayez poursuivi deux ambitions : d'une part, celle de faire une œuvre romanesque que l'on pourrait rattacher, malgré sa nouveauté, au « Bildungsroman » du XIXe siècle, d'autre part celle de faire une étude qui, par son caractère rigoureux, serait un modèle scientifique.*

— Je voudrais qu'on lise mon étude comme un roman puisque c'est l'histoire, en effet, d'un apprentissage qui conduit à l'échec de toute une vie. Je voudrais en même temps qu'on le lise en pensant que c'est la vérité, que c'est un roman *vrai*.

Dans l'ensemble de ce livre, c'est Flaubert tel que je l'imagine mais, ayant des méthodes qui me paraissent rigoureuses, je pense en même temps que c'est le Flaubert tel qu'il est, tel qu'il a été. Dans cette étude, j'ai besoin d'imagination à chaque instant.

— *S'agit-il ici véritablement d'une imagination ou*

*plutôt d'une intelligence qui sait mettre en rapport les
éléments?*

— Vous savez, pour moi, intelligence, imagination,
sensibilité sont une seule et même chose que je pourrais
désigner sous le nom de *vécu*. Je suis obligé d'imaginer :
si je prends, par exemple, une lettre de 1838 et une
autre de 1852, ce sont des documents qui n'ont jamais
été mis en rapport ni par Flaubert lui-même ni par les
correspondants ni par les critiques. A ce moment-là, ce
rapport n'existait pas. Si je le fais, c'est que je l'imagine. Et une fois que je l'ai imaginé, cela peut me donner un rapport réel.

— *Mais considérez-vous* L'Idiot de la famille *comme
un ouvrage scientifique?*

— Non, et c'est pour cela que je fais paraître le livre
dans la « Bibliothèque de philosophie ». Scientifique
impliquerait une rigueur de *concepts*. Philosophe,
j'essaie d'être rigoureux par des *notions* et la différence que je fais entre concept et notion est la suivante :
un concept est une définition en extériorité et qui, en
même temps, est atemporelle; une notion, selon moi,
est une définition en intériorité, et qui comprend en
elle-même non seulement le temps que suppose l'objet
dont il y a notion, mais aussi son propre temps de
connaissance. Autrement dit, c'est une pensée qui
introduit le temps en elle. Ainsi, lorsque vous étudiez
un homme et son histoire, vous ne pouvez procéder que
par notions. Par exemple, la passivité — qui a une telle
importance chez Flaubert —, si on en fait un concept,
ne signifie plus rien puisqu'on se place sur le plan de
l'extériorité. Si vous voulez la prendre comme un tout
historique, il faut montrer d'où elle vient et comment
elle se développe (la passivité de Flaubert écrivant
Madame Bovary n'est bien sûr pas la même que celle
du nourrisson); en plus, il faut que, dans la notion même
de passivité, on voie sa découverte et la façon dont la

pensée — ma pensée, en l'occurrence — la saisit jusqu'au
bout. Vous avez donc deux éléments temporels : la
genèse et le développement de la passivité, avec la
méthode essayant de la reprendre, et en même temps
l'intériorité, c'est-à-dire des idées qui s'imbriquent
les unes dans les autres, qui ont des rapports de négation interne entre elles, bref des rapports dialectiques.
Tout cela est donné dans la notion. La distinction que je
fais entre concept et notion recoupe celle que j'établis
entre connaissance et compréhension. Pour comprendre
un homme, l'attitude nécessaire est celle de l'empathie.

— *C'est l'attitude que vous avez à l'égard de Gustave,*
mais non pour ses parents...

— Il faut être juste : je ne vais pas très loin dans l'attaque des parents. Je considère qu'ils ont produit Flaubert, c'est-à-dire quelqu'un qui a été malheureux et qui
a trouvé à ce malheur une solution névrotique. Je fais
donc peser sur eux la plupart des responsabilités. Cela
dit, il n'est pas vrai que je n'aime pas le père, Achille-
Cléophas : il y a chez lui des éléments qu'on sent —
qu'on voudrait connaître, mais pour lesquels les
documents nous font défaut — et qui montrent qu'il
était différent de celui qu'on attendrait normalement :
son rapport à ses souvenirs, par exemple, le fait aussi
qu'il pleurait — les pleurs étant probablement un héritage de la sensibilité révolutionnaire du xviiie siècle :
Rousseau pleurait, Diderot pleurait, tout ce monde
pleurait abondamment. Pour tout cela, et aussi pour les
heures qu'il passait à disséquer les cadavres, je l'aime
plutôt bien. Et enfin, professionnellement, comme
médecin, il invente, contrairement à son fils Achille qui
ne fait guère plus qu'appliquer les méthodes pater-
nelles. Mais il est vrai que la mère Flaubert, elle, je ne
l'aime pas.

— *C'est visible. Et on a parfois le sentiment qu'à*
travers la cellule Flaubert, les parents et tout parti-

culièrement la mère, vous réglez vos propres comptes
avec cette famille, avec toutes *les familles bourgeoises.*

— Un peu avec toutes les familles. Il y a incontesta-
blement dans mon livre une attaque constante contre
la bourgeoisie de l'époque, dont la famille Flaubert est
très représentative. En ce qui concerne mon inimitié
pour la mère de Flaubert, ce serait une erreur d'en
induire que c'est à ma propre mère que je m'en prends
à travers elle. Ma mère était non seulement dévouée
mais aussi totalement pleine de tendresse. L'enfant
dont je trace implicitement le portrait en opposition à
l'enfant Gustave, ce petit garçon sûr de lui, qui a des
certitudes profondes parce qu'il a eu dans ses premières années tout l'amour dont un enfant a besoin pour
s'individualiser et se constituer un moi qui ose affirmer,
ce petit garçon c'est moi. De ce point de vue je suis
totalement à l'opposé de Flaubert. Au fond, j'en veux
à Caroline parce que j'ai été bien aimé, moi.

Si vous voulez, je prends ici un autre point de vue
que celui de l'analyste qui, lui, dirait : « Nous étudions
Flaubert, nous considérons sa famille pour ce qu'elle
est, c'est-à-dire objectivement, froidement, etc., et nous
regardons comment ce gosse s'est créé ses difficultés
à partir de structures objectives. » Or moi je pense que
la famille a fait du mal, que le père a été abusif, que la
mère a été frustrante et presque anaffective — d'où les
tendances autistiques de Gustave — et que le fils aîné,
sans que ce soit sa faute, a provoqué chez Gustave une
jalousie qui d'une certaine manière l'a détruit. J'ai
insisté sur cet aspect du rapport entre les deux frères
car il a été souvent négligé par les biographes, Thibau-
det en particulier. Et pourtant, il suffit d'étudier atten-
tivement les contes de jeunesse de Flaubert pour déce-
ler partout des thèmes qui montrent les très mauvais
rapports que les deux frères entretenaient.

— *Votre étude est fondée en grande partie sur les*

*écrits de jeunesse. Les avez-vous analysés pour corro-
borer des intuitions préalables?*

— Non, c'est en lisant ces écrits que j'ai découvert bien
des choses, par exemple sur la sexualité de Flaubert.
Il suffisait d'interpréter. Les confirmations me sont
venues plus tard, assez récemment, avec les passages
inédits des lettres datant du voyage en Orient — cen-
surées par l'édition Conard. Avec des tendances homo-
sexuelles, ce qui y apparaît le plus c'est le caractère
passif de sa sexualité. J'ai donné une grande importance à la notion de passivité, qui n'est pas une catégorie appartenant à la psychanalyse classique et dont
les pédiatres, j'ai pu le constater au cours de conversations, tiennent peu compte. Pour eux, la passivité ne peut
exister que comme effet d'un conatus, alors que pour
moi, dans le cas de Flaubert, elle a deux causes : les
manipulations du nourrisson par une mère peu aimante
et la crise de l'apprentissage de la lecture que connaît
Gustave à sept ans passés, lorsque son père prend en
main de façon autoritaire et répressive, en exerçant
un chantage à l'honneur familial, l'alphabétisation de
son cadet. Achille, le frère aîné, a toujours été indiqué
comme modèle par sa famille à Gustave, d'où le sentiment d'infériorité de celui-ci qui sait son frère inéga-
lable, ce qui renforce encore sa passivité originelle.
De ce point de vue, Flaubert apparaît comme voué à
la passivité par son statut même de cadet.

— *Voué? Voilà qui risque de surprendre ceux qui
voient en vous le philosophe de la liberté.*

— D'une certaine façon nous naissons tous prédesti-
nés. Nous sommes voués à un certain type d'action dès
l'origine par la situation où se trouvent la famille et la
société à un moment donné. Il est certain, par exemple,
qu'un jeune Algérien né en 1935 est voué à faire la
guerre. Dans certains cas, l'histoire condamne d'avance.
La prédestination, c'est ce qui remplace chez moi le

déterminisme : je considère que nous ne sommes pas libres — tout au moins provisoirement, aujourd'hui — puisque nous sommes aliénés. On se perd toujours dans l'enfance : les méthodes d'éducation, le rapport parents-enfant, l'enseignement, etc., tout cela donne un moi, mais un moi perdu. Mais il est bien évident qu'il y a une différence énorme entre les aliénations : prenez tout simplement l'exemple des enfants autistiques ou des enfants loups...

Cela ne veut pas dire que cette prédestination ne comporte aucun choix, mais on sait qu'en choisissant on ne réalisera pas ce qu'on a choisi : c'est ce que j'appelle la nécessité de la liberté. Par exemple, Flaubert n'était pas tout à fait conditionné à choisir l'écriture. C'est venu petit à petit à partir du moment où il a appris à lire. Tout cela correspond à cette partie de la *Critique de la raison dialectique* où je décris ce qu'est la liberté aliénée. Flaubert d'ailleurs disait : « Je ne me sens pas libre. » Les contraintes familiales exercent sur lui un conditionnement rigoureux : dans une famille de scientifiques on lui refuse la possibilité d'être savant, puisque la succession du père revient à l'aîné. Tout est joué d'avance : il reste à Gustave des options, mais des options conditionnées. C'est ce que je montre dans mon livre.

— *Selon Lacan, le moi est une construction imaginaire, une fiction à laquelle on s'identifie après coup : c'est ce qu'il appelle le stade du miroir, c'est-à-dire une identification au personnage constitué par une désignation sociale et familiale. Or la description que vous faites du moi flaubertien semble correspondre en tout point à la théorie de Lacan, mais vous la donnez comme spécifique à Flaubert, alors que Lacan la donne pour universelle.*

— Je n'ai pas pensé à Lacan en décrivant la constitution de Flaubert — à vrai dire je ne le connais pas

très bien — mais ma description n'est pas éloignée de
ses conceptions. Je ne présente pas la constitution de
la personne comme spécifique à Flaubert, il s'agit bien
en vérité de nous tous. Et la constitution consiste en
effet à créer une personne avec des rôles, des compor-
tements attendus, à partir de ce que j'appelle l'être
constitué. Autrement dit, il faudrait faire pour tout le
monde — et aussi pour des gens très actifs — le travail
que j'ai fait sur Flaubert : montrer la constitution et
la personnalisation de l'individu, c'est-à-dire le dépassement vers le concret du conditionnement abstrait
par les structures familiales. Il est certain que chez
Flaubert l'élément irréel est total : la différence entre
Flaubert et un autre — chez qui évidemment des éléments imaginaires ne peuvent pas ne pas apparaître —
c'est que Flaubert a voulu être *totalement* imaginaire.

Vous savez comment je conçois le moi — je n'ai pas
changé : c'est un objet qui est devant nous. C'est-
à-dire que le moi apparaît à la réflexion quand elle unifie
les consciences réfléchies : il y a alors un pôle de la
réflexion que j'appelle le moi, le moi transcendant, et
qui est un quasi-objet. Flaubert, lui, *veut* que son moi
soit imaginaire.

— *Comment voyez-vous la névrose de Flaubert?*

— L'analyse de la névrose, c'est de l'antipsychiatrie :
j'ai voulu montrer la névrose comme solution à un
problème.

— *Nous n'avons abordé jusqu'ici que des thèmes
psychanalytiques. A quel moment de votre recherche
avez-vous été obligé de faire intervenir des méthodes
marxistes fondées sur des connaissances historiques
précises?*

— Dès le début j'utilise conjointement les deux
méthodes. Je considère qu'il est impossible de parler
d'un enfant ou d'un jeune homme sans le situer dans
son époque. Si Flaubert avait été fils d'un chirurgien

cinquante ans plus tard, son rapport avec la science eût évidemment été différent. De même, ce qu'il faut montrer c'est l'idéologie qu'on lui enseigne dès la petite enfance. Donc les deux méthodes sont nécessaires. Cependant les deux premiers tomes de mon ouvrage utilisent à proprement parler l'empathie pour montrer comment l'enfant intériorise le monde social. Mais ce n'est pas tout : le troisième volume montrera en quoi la névrose de Flaubert est une névrose *réclamée* par ce que j'appelle l'esprit objectif. Autrement dit, si je ne crois pas que l'art ou la littérature soit nécessairement le fait d'un névrosé — encore que les artistes soient souvent névrosés — je crois que l'Art pour l'Art réclamait une névrose. Ce qu'il convient d'étudier — et c'est ce que je fais dans le troisième tome que je compte publier dans deux ou trois ans—, c'est, à partir des exemples de plusieurs écrivains, dont les Goncourt et surtout Leconte de Lisle, l'histoire du mouvement artistique vers 1850. Ces écrivains sont tous plus ou moins névrosés. Dans les deux premiers tomes, j'ai l'air de montrer Flaubert inventant l'Art pour l'Art à partir de ses conflits personnels. En réalité il l'invente parce que l'histoire de l'esprit objectif amène un écrivain qui, en 1835-1840, se propose d'écrire, à prendre la position névrotique du post-romantisme, c'est-à-dire l'Art pour l'Art.

— *Quelles difficultés majeures avez-vous rencontrées au cours de votre recherche?*

— Je crois que la plus grande difficulté a été d'introduire l'idée d'imaginaire, l'imaginaire comme détermination cardinale d'une personne. Le livre, tel qu'il se présente maintenant, se rattache d'une certaine façon à *L'Imaginaire*, que j'ai écrit avant guerre. Mais ce que j'essaie avec le *Flaubert* c'est aussi d'utiliser les méthodes du matérialisme historique, si bien que quand je parle des mots, je me réfère à leur matérialité : je

considère que parler est un fait matériel, de même que
penser d'ailleurs. J'ai repensé certaines des notions
exposées dans *L'Imaginaire*, mais je dois dire que,
malgré les critiques que j'ai pu lire, je tiens encore l'ouvrage pour vrai : si on prend uniquement le point de
vue de l'imagination (en dehors du point de vue social,
par exemple) je n'ai pas changé d'avis : il faudrait évidemment le reprendre avec un point de vue plus maté-
rialiste.

Une autre difficulté a été d'arriver à cette méthode
par empathie. J'ai été souvent contre Flaubert dans le
passé; c'est disparu petit à petit. Aujourd'hui je me dis
que je n'aimerais pas dîner avec lui parce qu'il devait
être vraiment assommant, mais je le vois comme un
homme.

— *L'empathie suppose donc une mise entre paren-
thèses de tout jugement moral?*

— Bien sûr, et c'est ce qu'il fallait pour un ouvrage
de ce genre. Si je jugeais Flaubert au nom de valeurs,
je resterais quand même très proche de mon ancien
jugement. Peut-être que je ne peux plus le juger parce
qu'il a trop souffert — trop et pas assez, à la fois, car
comme vous savez il imaginait un peu ses souffrances —
mais enfin il a été malheureux. Le malheur est fait de
souffrance et aussi d'imagination. Et puis, pour moi,
Flaubert disant « sale ouvrier » ce n'est plus personne aujourd'hui, car les fascistes ne disent pas « sale
ouvrier », ils disent « les ouvriers sont avec nous ». Cette
distance, c'est aussi une raison pour laquelle j'en suis
arrivé à l'empathie.

— *Dans quelle mesure utilisez-vous dans le Flaubert
les instruments forgés dans la* Critique de la raison dialectique?

— Je n'ai pas eu à m'en servir beaucoup dans les premiers tomes, mais j'y ferai appel dans le troisième car
nous trouverons là des collectifs, des sérialités; il fau-

dra que je parle de l'esprit objectif, etc. Ce sera davantage le moment de la totalisation par les méthodes
marxistes.

— *Est-ce parce que cette totalisation est possible pour
le XIXᵉ siècle et qu'elle ne l'est pas pour notre époque
que vous n'avez pas entrepris sur vous-même le travail
d'élucidation que vous opérez sur Flaubert?*

— Pour une part, oui. Pour l'autre, la raison est que
je n'ai pas d'empathie pour moi-même. On a toujours
un peu de sympathie ou d'antipathie dans les rapports
à soi. Mais l'empathie ne s'adresse qu'à l'autre. On
adhère à soi. C'est une expression excellente d'une
graphologue. Elle avait décrit sa personnalité à une
dame qui lui a répondu qu'elle la flattait énormément :
« Mais c'est parce que vous adhérez à vous. Je vous dis
des choses que je pense exactes et vous les trouvez
favorables : c'est parce que vous le voulez. Cela ne veut
pas dire du tout qu'au nom d'autres critères ce soit
tellement favorable. » Je pense qu'on peut faire un effort
pour se désadhérer de soi et aller vers l'objectivité et
l'empathie, mais il y a des choses en nous que nous
considérons comme « valables » et qui en réalité, vues
d'un autre point de vue, peuvent être des tares, des
défauts, des complaisances. Alors je ne pense pas qu'il
soit donné de se comprendre soi-même par empathie.
Par exemple, *Les Mots*, ce n'était pas du tout ça.

— *Pourtant le projet du Flaubert est lié à celui de
votre autobiographie, si l'on considère les dates. La
découverte de la névrose de Flaubert ne correspond-
elle pas un peu à celle de votre propre névrose?*

— Non, je ne pense pas qu'il y ait un intérêt à dire
que je me découvre dans Flaubert comme on l'avait dit
pour Genet. C'était peut-être plus vrai pour Genet parce
qu'il est plus proche de moi sur beaucoup de plans.
Mais j'ai très peu de points communs avec Flaubert. Je
l'ai choisi aussi parce que, précisément, il est loin de

moi. On dit toujours d'un écrivain qui fait un portrait :
« Il se peint en peignant. » Bien entendu, il doit y avoir
des choses de moi dans le livre, mais l'essentiel est une
méthode.

— *Cette méthode, était-il impensable de tenter de
l'appliquer à vous-même, en analysant par exemple vos
propres écrits de jeunesse ou votre correspondance?*

— Si je retrouvais toutes les lettres de mes vingt ans
et si je m'amusais à regarder dans le détail *Jésus la
Chouette* ou des récits de cette période, je découvrirais
certainement de moi des aspects que j'ignore. D'ailleurs
il m'arrive, en relisant mes textes, de trouver des choses
de moi qui me frappent comme m'ayant échappé, je
veux dire des éléments où je me suis livré malgré moi.
Donc l'empathie est toujours possible, mais elle est
limitée. Je ne crois pas qu'il y ait un intérêt à faire ce
travail sur soi-même. Il y a d'autres manières de se
chercher. Merleau-Ponty m'a dit une fois qu'il voulait
écrire sur lui, sur sa vie, de manière autobiographique.
Quelque temps après il me disait : « Non, au fond, il
vaudrait mieux que j'écrive un roman. Pourquoi? Parce
que dans un roman je pourrais donner aux périodes de
ma vie que je ne comprends pas un sens imaginaire. »
Si vous voulez, c'est un peu le même problème que celui
de l'auto-analyse. On considère qu'elle est faisable
mais qu'elle n'est pas scientifique. De même, si je
cherche à m'étudier, des présuppositions se glisseront
qui sont inévitables à cause de l'adhésion ou de l'adhé-
rence à soi.

— *N'est-ce pas déclarer impossible ce que vous appeliez dans* L'Être et le Néant *la réflexion purifiante ou
non complice, condition de l'authenticité?*

— Vous savez bien que cette réflexion je ne l'ai jamais
décrite, j'ai dit qu'elle pourrait exister mais je n'ai
montré que des faits de réflexion complice. Et par la
suite j'ai découvert que la réflexion non complice n'était

pas un regard différent du regard complice et immédiat mais était le travail critique que l'on peut faire pendant toute une vie sur soi, à travers une *praxis*.

Enfin il y a une raison supplémentaire qui tient à la méthode totalisante elle-même : il est impossible de totaliser un homme vivant. La méthode consiste à être chronologique mais sans jamais se refuser d'éclairer la chronologie par le futur. Pour montrer la fausse générosité de Flaubert j'utilise ainsi deux exemples éloignés dans le temps : les relations de Gustave avec sa sœur Caroline dans leur enfance et la dernière amitié de Flaubert avec Laporte, vers 1875. Ces deux exemples s'éclairent l'un par l'autre. Mais je peux le faire parce que la vie de Flaubert est une totalité achevée. Ce que j'ai fait dans *Saint Genet,* par exemple, était beaucoup moins complet. Les écrivains vivants se cachent : quand on écrit, on se déguise.

— *N'appréhendez-vous pas un peu que quelqu'un n'entreprenne sur vous le travail d'élucidation que vous tentez sur Flaubert?*

— Au contraire, j'en serais content. Comme tout écrivain, je me cache. Mais je suis aussi un homme public et les gens peuvent penser sur moi ce qu'ils ont envie de penser, même si c'est sévère. Tous les écrivains ne sont pas aussi sereins à cet égard. Tenez, Genet, lorsqu'il a eu entre les mains mon manuscrit sur lui, sa première réaction a été de vouloir le jeter au feu.

— *Vous n'avez aucune crainte devant le jugement de la postérité?*

— Aucune. Non pas que je sois persuadé qu'il sera bon. Mais je souhaite qu'il ait lieu. Et il ne me viendrait pas à l'esprit d'éliminer des lettres, des documents sur ma vie personnelle. Tout cela sera connu. Tant mieux si cela permet que je sois aussi transparent aux yeux de la postérité — si elle s'intéresse à moi — que Flaubert l'est aux miens.

— *Cette volonté de lire à livre ouvert dans Flaubert comme le Créateur lit dans sa créature, ne serait-ce pas un projet démiurgique, le projet originel d'être Dieu?*

— Pas du tout. Le projet profond dans le *Flaubert* c'est celui de montrer qu'au fond tout est communicable et qu'on peut arriver, sans être Dieu, en étant un homme comme un autre, à comprendre parfaitement, si on a les éléments qu'il faut, un homme. Je peux prévoir Flaubert, je le connais et c'est cela mon but, pour prouver que tout homme est parfaitement connaissable pourvu qu'on utilise la méthode appropriée et qu'on ait les documents nécessaires. Je ne prétends pas donner la méthode définitive. Il peut y avoir bon nombre de manières de faire différentes de la mienne, mais voisines.

— *En admettant qu'il ne nous soit resté de Flaubert que* Madame Bovary, *le but de votre recherche aurait-il encore été de reconstituer l'individu Flaubert, cet objet hypothétique, ou bien, comme une bonne partie de la critique contemporaine, ne vous aurait-il pas fallu abandonner l'idée d'une paternité de l'œuvre, laisser s'évanouir le sujet créateur, en un mot vous centrer non plus sur l'individu mais sur le texte, au sens que donnent à ce mot les sémioticiens actuels?*

— Je m'oppose complètement à l'idée de texte et c'est précisément pourquoi j'ai choisi Flaubert qui, en nous laissant une abondante correspondance et des écrits de jeunesse, nous offre l'équivalent d'un « discours psychanalytique ». D'autre part, il se trouve que je connais bien le XIXe siècle et que je peux ainsi montrer l'importance des facteurs sociaux dans la constitution et la personnalisation de l'individu Flaubert qui a écrit *Madame Bovary*...

— *Mais on vous répondra que plus personne ne doute aujourd'hui que les expériences de l'enfance et les conditions sociales d'une époque soient les conditions nécessaires de l'œuvre produite par l'écrivain adulte et que ce n'est donc pas tant cette causalité incontestable qu'il convient d'étudier que les configurations singulières de tel ou tel texte.*

— Pour étudier ces configurations il faut passer par l'étude des conditions socio-économiques, idéologiques, analytiques, etc. Par exemple, Flaubert a écrit le premier *Saint Antoine* et puis, quelques années après, *Madame Bovary.* Il n'y en a qu'un seul qui a vu que c'était le même sujet, c'est Baudelaire. Personne, après lui, n'a repris cette constatation, personne n'a montré que *Madame Bovary* est un roman cosmique. Si vous voulez comprendre le rapport qu'il y a entre ces deux œuvres, il faut voir ce que Flaubert a pensé après l'échec du *Saint Antoine* — quand Bouilhet a décrété : c'est à jeter aux cabinets —, voir Flaubert réfléchir pendant son voyage en Orient avec Maxime du Camp et le voir ensuite reprendre son sujet et lui donner pour centre une jeune fille du XVIe siècle, vivant dans sa famille et devenant sainte à travers une série d'événements. Nous avons déjà là des éléments qui nous rapprochent de *Madame Bovary.* Puis Flaubert prend encore un autre thème et enfin, un beau jour, c'est *Madame Bovary.* On voit alors comment ce qu'il a cherché c'est précisément à dégager une connaissance cosmique — très banale d'ailleurs, en un sens, quand on en est à *Saint Antoine* — d'une histoire quelconque. Il a compris à ce moment-là qu'on peut raconter n'importe quoi à condition d'opérer une totalisation. Comment voulez-vous voir tout cela si vous ne connaissez pas l'espèce de crise qui a suivi *Saint Antoine* et qui lui a fait écrire *Madame Bovary?* Impossible de l'étudier sans le recours à la personne, c'est-à-dire l'étude des documents qui nous la livrent. Évidemment cela n'est pas toujours possible mais si les documents manquent complètement, vous vous trouvez dans la même situa-

tion que les ethnographes qui voudraient étudier une
population disparue : l'objet n'existe pas! Seules les
sciences hypothético-déductives, comme les mathématiques, peuvent procéder à partir de rien, c'est-
à-dire de l'esprit. Je veux élucider le rapport de
l'homme à l'œuvre. Avec Flaubert, la partie était
facile. Dans sa correspondance il se livre comme sur le
divan du psychanalyste, au contraire de George Sand,
par exemple, qui dans la sienne ne cesse de se dissimuler. Chez elle l'écriture fonctionne comme censure,
chez Flaubert c'est l'inverse : quand on a la correspondance en quatorze volumes, on a le bonhomme. Pour
un autre écrivain, il faudrait changer un peu de
méthode. Prenons toujours George Sand : il faudrait
contrôler les lettres les unes par les autres, les vérifier
aussi par les témoignages de ses correspondants ou de
ses amis. Ce serait plus difficile, mais ce serait quand
même possible.

En étudiant *Madame Bovary*, ce que nous retrouve-
rons dans un premier moment c'est la défaite, c'est-
à-dire l'homme qui a son destin, qui s'est perdu dans
l'enfance, qui s'est retrouvé dans une certaine mesure,
mais pas beaucoup, et qui par conséquent inscrit sa
défaite dans le livre. Mais un livre n'est pas seulement
une défaite, c'est aussi une victoire. Il faut donc montrer en quoi le livre en tant que victoire exige un autre
auteur que le Flaubert malheureux qui s'est projeté
dans son livre, celui que je décris dans les premiers
tomes. Il n'y a pas de raison *a priori* pour que son livre
soit bon : ce pourrait être un ouvrage de dément. Donc
il y a un autre Flaubert. En réalité il n'y en a qu'un et
qui oscille constamment entre ces deux pôles : défaite
et victoire. Si j'étudie sa vie, je ne peux trouver que le
Flaubert vaincu et si j'étudie *Madame Bovary* il faut
que je découvre ce qu'est le Flaubert vainqueur. Autrement dit, il y a un moment dans la recherche où c'est le

texte qui doit être envisagé : c'est le moment de la victoire. Lorsque j'arriverai à *Madame Bovary*, je retrouverai bien sûr des éléments de la défaite : par exemple les verbes passifs très nombreux, qui constituent souvent le défaut des phrases flaubertiennes et qui contribuent à faire des œuvres de Flaubert ce que Malraux appelle de « beaux romans paralysés ». De ce point de vue le style représente des échecs dont je rends compte dans les premiers tomes en recourant à la personne de Flaubert par mes méthodes. Reste que l'œuvre est une réussite qui est passée à la postérité indépendamment de son auteur. Il faut rendre compte de cette réussite. Je veux faire une critique totalisante : c'est pourquoi le dernier tome sera une étude textuelle ou littéraire, si vous voulez, de *Madame Bovary* et j'essaierai d'y utiliser des techniques « structuralistes ».

— *Ces techniques dont vous parlez sont-elles compatibles avec vos méthodes?*

— Je crois que oui, à condition de les adapter. Mais il est trop tôt pour le dire : je ne « sais » mon livre que jusqu'au troisième tome, qui est en partie rédigé. Je m'y remets en octobre. Je suppose qu'il me faudra trois ans, un an pour finir la névrose, c'est-à-dire pour la montrer exigée par le style, puis deux ans pour *Madame Bovary*. Dans une certaine mesure *Madame Bovary* se déduit de *L'Idiot de la famille*, mais c'est dans la mesure où elle ne se déduit pas qu'elle m'intéresse et qu'elle m'amènera à utiliser de nouvelles techniques, pour revenir finalement au portrait.

— *Vous tenez-vous au courant des recherches actuelles inspirées par le formalisme et la rhétorique?*

— Oui. Je viens, par exemple, de lire Bakhtine sur Dostoïevski et je ne vois pas ce que le nouveau formalisme — la sémiotique — ajoute à l'ancien. Dans l'ensemble, ce que je reproche à ces recherches, c'est qu'elles ne mènent à rien : elles n'enserrent pas leur objet; ce sont des connaissances qui se dissipent.

— Au cours des quinze années qu'a duré l'élaboration du Flaubert vous avez dû, cependant, réajuster certaines de vos idées en fonction des recherches contemporaines.

— Il est vrai que j'ai assimilé certaines idées à travers des lectures indirectes, par exemple dans le cas de Lacan. De la même façon que je me suis trouvé, vers 1939, avoir assimilé beaucoup de choses de Hegel — que je connaissais mal : je n'ai vraiment pris contact avec Hegel qu'après la guerre, grâce à la traduction d'Hippolyte et à son commentaire. En fait, j'entreprends rarement des lectures très méthodiques. C'est un peu le hasard qui décide : on m'envoie presque tout, alors je lis ce qui m'intéresse. Que ce soit *Critique* ou que ce soit *Tel quel* ou *Poétique,* je lis. Mais je considère que *Critique* d'il y a dix ans était beaucoup plus intéressant qu'aujourd'hui. Les linguistes veulent traiter le langage en extériorité et les structuralistes issus de la linguistique traitent aussi une totalité en extériorité : c'est, pour eux, utiliser les concepts le plus loin possible. Mais je ne peux me servir de cela car je me place sur un plan non scientifique mais philosophique, et c'est pourquoi je n'ai pas besoin d'extérioriser ce qui est total.

— Autrement dit, pour vous contester, il faut vous refuser en bloc?

— Je crois que c'est nécessaire et qu'il en est d'ailleurs ainsi pour la plupart des philosophes.

— Quelle est la nouveauté de la notion de vécu que vous substituez souvent à ce que vous appeliez avant la conscience?

— Pour moi cela représente, si vous voulez, l'équivalent de conscient-inconscient, c'est-à-dire que je ne crois toujours pas à l'inconscient sous certaines formes, bien que la conception de l'inconscient chez Lacan soit plus intéressante... J'ai voulu donner l'idée d'un ensemble dont la surface est tout à fait consciente et dont le reste est opaque à cette conscience et, sans être de l'inconscient, vous est caché. Quand je montre comment Flaubert ne se connaît pas lui-même et comment en même temps il se comprend admirablement, j'indique ce que j'appelle le vécu, c'est-à-dire la vie en compréhension avec soi-même, sans que soit indiquée une connaissance, une conscience thétique. Cette notion de vécu est un outil dont je me sers mais que je n'ai pas encore théorisé. Je le ferai bientôt. Si vous voulez, chez Flaubert, le vécu c'est quand il parle des illuminations qu'il a et qui le laissent ensuite dans l'ombre sans qu'il puisse retrouver les chemins. D'une part, il est dans l'ombre avant et dans l'ombre après, mais, d'autre part, il y a le moment où il a vu ou compris quelque chose sur lui-même.

— *Comment voyez-vous le rapport de Flaubert au langage, le problème de ce qu'il appelait l' « indisable »?*

— Tout le rapport de Flaubert avec le langage, la priorité donnée au langage oral sur le langage écrit, je ne l'ai découvert qu'il y a peu de temps. Ce que Flaubert appelle l' « indisable », c'est, en fait, ce qu'il ne veut pas dire mais qu'il *sait*, par exemple ses sentiments envers son père et son frère, et c'est aussi l'inexprimable aujourd'hui. Je montre dans le livre comment Flaubert a cru d'abord que la « poésie » ne pouvait pas s'extérioriser en un poème mais que c'était une manière de vivre que les mots trahissaient. A cette époque il disait toujours : « Pour rendre la beauté d'une femme ou la saveur d'un plum-pudding, on n'a pas les mots. » Par la suite, il a découvert un usage imaginaire du langage pour rendre des choses imaginaires. A partir de ce moment-là il va trouver dans un ensemble la possibilité de faire sentir — et dans l'imaginaire — une beauté de femme ou la saveur d'un pudding. Mais il postule

tout de même la non-communicabilité du vécu. Le thème
de l'incommunicabilité, on le sait, est un des thèmes
majeurs de la bourgeoisie du xixe et du début du
xxe siècle. Il a d'ailleurs produit des œuvres importantes. Flaubert, lui, a été amené à l'idée d'incommunicabilité parce que, à cause de sa protohistoire, il
n'a pas l'usage du langage affirmatif. Ce n'est donc
pas tout à fait pareil. Il va sans dire que je m'oppose
absolument aux conceptions de Flaubert et que, dans
mon livre, je ne fais que les exposer : j'espère qu'on ne
s'y trompera pas.

— *A plusieurs reprises, précédemment, vous aviez
parlé du « désengagement total » de Flaubert et dans*
Questions de méthode *vous parlez de son « engagement
littéraire ». Quelle articulation voyez-vous entre ces
deux idées?*

— Le désengagement total, c'est ce qui apparaît si
l'on considère en surface tout ce qu'il a écrit. Mais on
constate ensuite un engagement sur un second plan que
j'appellerai politique, malgré tout : il s'agit ici de
l'homme qui a pu par exemple injurier les Communards,
un homme dont on sait qu'il est propriétaire et réaction-
naire. Mais si on s'arrête à cela, on ne rend pas justice
à Flaubert. Pour le saisir vraiment, il faut aller jusqu'à
l'engagement profond, un engagement par lequel il
essaie de sauver sa vie. L'important, c'est que Flaubert
se soit engagé à fond sur un certain plan, même si celui-
ci implique qu'il ait pris des positions blâmables pour
tout le reste. L'engagement littéraire c'est finalement
le fait d'assumer le monde entier, la totalité. Poulet a
remarqué le thème de la circularité chez Flaubert,
mais il n'est pas allé jusqu'au bout et n'a pas réalisé que
cette circularité c'est la totalisation. Prendre l'univers
comme un tout, avec l'homme dedans, en rendre compte
du point de vue du néant, c'est un engagement profond, ce n'est pas simplement un engagement littéraire

au sens où l'on « s'engage à faire des livres ». Comme pour Mallarmé, qui est un petit-fils de Flaubert, il s'agit là d'une véritable passion, au sens biblique.

— *A ce propos, y a-t-il un rapport entre votre étude inédite sur Mallarmé et* L'Idiot *de la famille?*

— L'étude sur Mallarmé — que j'ai perdue d'ailleurs — était beaucoup moins systématique que le *Flaubert* et se rapprochait beaucoup plus de *Saint Genet.* Le rapport est évident car j'ai constamment besoin de me reporter à Mallarmé et au symbolisme pour mieux comprendre Flaubert.

— *Pourquoi avez-vous finalement préféré écrire le* Flaubert *plutôt que le tome II de la* Critique de la raison dialectique?

— Ce second tome suppose des lecture énormes et je ne sais pas si j'aurai le temps de les faire avant ma mort. Bien sûr, je pourrais me borner à un point d'histoire et c'est sans doute ce que je ferai si j'écris le livre.

— *N'envisageriez-vous pas de constituer un groupe de recherches qui élaborerait ce second tome sous votre direction?*

— Cela ne me paraît guère possible car il faut que je fasse moi-même toutes les lectures. Pour le *Flaubert* on m'a un peu aidé en me procurant quelques documents mais cette aide n'a pas été déterminante.

— *Vous pensez actuellement à deux autres projets : celui d'une pièce à contenu historique et celui d'un testament politique de caractère autobiographique.*

— J'y pense vaguement. Pour diverses raisons, je devrais maintenant écrire une pièce, mais je n'ai pas envie de faire une pièce, alors cela me barbe... Quant au testament, je sais bien qu'il sera écrit mais je n'en ai pas encore tracé une ligne et j'ignore quand il se fera.

Pour le moment, je n'ai qu'une consigne, agréable : finir le *Flaubert.*

— *Comment ce programme réalise-t-il le projet d'écrivain que vous avez eu dès votre enfance?*

— Vous savez, ce qui est arrivé à la plupart de ceux
qui comme moi sont nés vers 1905, c'est qu'ils ont
reflété, intériorisé une certaine société et qu'à partir
d'un moment donné il y a eu deux ruptures, l'une en
1914-1918, l'autre, beaucoup plus complète, en 1945.
Nous nous sommes donc retrouvés avec un autre projet. Tout vient de l'enfance mais d'un côté mon projet
actuel n'a plus rien à voir avec celui que j'avais vers
douze-quinze ans, quand je voulais être romancier et
quand j'étais influencé par l'Art pour l'Art vaguement
teinté d'humanisme de mon grand-père.

— *Vous ne voyez plus guère aujourd'hui dans la littérature qu'une « mini-praxis ».*

— Oui. Mais comme, de toute façon, il n'y en a plus,
de littérature!

— *Vous disiez tout à l'heure que* Les Mots *constituaient votre adieu à la littérature.* L'Idiot de la famille
*ne peut-il pas, d'une certaine façon, être considéré
comme un retour à cette littérature?*

— C'est la question même que me posent tout le temps
mes amis gauchistes. Dans la mesure où le *Flaubert*
est un roman, il est en accord avec ce que j'écrivais
auparavant, mais dans la mesure où j'essaie de donner
une méthode plus ou moins révolutionnaire parce
qu'elle est marxiste, il est en liaison avec mes nouveaux
problèmes.

Il y a là une ambiguïté certaine et que j'ai ressentie
en composant le livre : d'un côté, aller chercher quelqu'un au xixe siècle et puis s'occuper de ce qu'il a fait
le 18 juin 1838, on peut appeler cela une fuite; d'un
autre côté, mon but est de proposer une méthode sur
laquelle on pourra ensuite construire une autre méthode
et cela, selon moi, c'est contemporain. Aussi si je
regarde le contenu, j'ai l'impression de fuir — peut-être

en effet le faisais-je un peu — et si je regarde au contraire
la méthode, j'ai le sentiment d'être actuel. Il y a là deux
distances, une qui est la constitution de la méthode,
l'autre qui est la fuite. Peut-être est-ce là une des raisons pour lesquelles j'en suis arrivé à l'empathie? Cela
dit, il est certain que si j'avais cinquante ans aujour-
d'hui, je ne commencerais pas le *Flaubert.*
  — *Vous militeriez?*
  — Militer?... Il y a une autre manière plus intéressante d'utiliser sa plume pour les gauchistes, par
exemple dans un tribunal populaire ou dans *J'accuse...*
  Je ne suis pas entièrement satisfait de ces textes
politiques parce qu'ils ne vont pas assez loin. Mais
c'est là le problème pratique — que je n'ai d'ailleurs
pas encore bien résolu : comment se faire comprendre
d'un public populaire en allant jusqu'au bout d'une
idée.
  Selon moi, l'intellectuel nouvelle manière doit aujour-
d'hui tout donner au peuple. Je suis sûr qu'on peut
aller loin dans cette direction mais je ne sais pas encore
comment : en tout cas, c'est l'une des choses que je
cherche.
  Il est évident, par ailleurs, que les gauchistes se préoc-
cupent peu de théorie. Ce qui les intéresse — même
lorsque ce sont des intellectuels — c'est de discuter
d'une action qui a été faite et d'en tirer des leçons ou
d'une action à faire.
  — *On vous a suggéré récemment, à plusieurs reprises,
d'écrire un roman qui serve la cause de la révolution.*
  — Oui, mais je n'en vois pas la nécessité et intérieu-
rement je n'en ressens pas le besoin : il me reste tellement de choses à faire...

*Propos recueillis par Michel Contat
et Michel Rybalka* (Le Monde, *14 mai 1971*).

SIMONE DE BEAUVOIR
INTERROGE JEAN-PAUL SARTRE

SIMONE DE BEAUVOIR. — *Eh bien Sartre, je voudrais vous interroger sur la question des femmes; car, en somme, vous ne vous êtes jamais exprimé sur cette question, et c'est même la première chose que je voudrais vous demander. Comment se fait-il que vous ayez parlé de tous les opprimés : des travailleurs, des Noirs, dans* Orphée noir, *des Juifs, dans* Réflexions sur la question juive, *et que vous n'ayez jamais parlé des femmes? Comment expliquez-vous ça?*

JEAN-PAUL SARTRE. — Je pense que c'est venu de mon enfance. Dans mon enfance, j'ai été surtout entouré de femmes; ma grand-mère, ma mère s'occupaient beaucoup de moi; et puis j'étais entouré de petites filles. De sorte que c'était un peu mon milieu naturel, les filles et les femmes, et j'ai toujours pensé qu'il y avait en moi une sorte de femme.

— *Le fait que vous ayez été entouré de femmes n'empêche pas que vous auriez pu saisir comme un phénomène important l'oppression qu'elles subissent.*

— Je sentais que ma grand-mère était opprimée par mon grand-père; mais je ne le réalisais pas vraiment. Ma mère, en tant que veuve, était opprimée par ses parents; mais autant par sa mère que par son père.

— *Mais vous êtes devenu adulte! Pourquoi avez-vous ignoré l'oppression dont les femmes sont victimes?*

— Dans sa généralité, je n'en avais pas conscience. Je ne voyais que des cas particuliers. Bien sûr, j'en voyais des tas. Mais, chaque fois, je considérais l'impérialisme comme un défaut individuel de l'homme, et une certaine obéissance particulière comme un trait de caractère de la femme.

— *Est-ce qu'on ne pourrait pas dire qu'il y a là, par rapport aux femmes, chez beaucoup d'hommes — et même chez des femmes, parce que moi, j'ai été comme ça longtemps aussi — une sorte de tache aveugle? On prend les rapports hommes-femmes comme quelque chose de tellement donné que ça apparaît naturel, et, qu'en somme, on ne les voit pas.*

Ça me fait un peu penser à ce qui s'est passé autrefois dans la démocratie grecque, où l'esclavage n'était pas perçu par des gens qui, pourtant, professaient des idées de réciprocité. Il me semble que, dans les siècles futurs, on regardera avec autant d'étonnement la manière dont les femmes sont traitées aujourd'hui dans notre société que nous regardons l'esclavage dans la démocratie athénienne, par exemple.

— Je pense que vous avez raison. Étant jeune, je croyais à la supériorité de l'homme, ce qui n'excluait pas entre lui et la femme une certaine égalité. Il me semblait que, dans la vie de société, les femmes étaient traitées comme les égales des hommes. Dans quelques cas, l'homme était hautain, orgueilleux, autoritaire, dans ses rapports avec sa femme : mon beau-père, par exemple. C'était, à mes yeux, un simple trait de caractère.

— *Mais, vous-même, vous venez de dire que dans vos rapports avec les femmes, qui ont été très nombreux, vous les regardiez à la fois comme égales et comme pas égales. Est-ce que vous voulez dire, ce que vous m'aviez*

indiqué une fois, qu'étant donné leur oppression, elles
étaient les égales de l'homme, même si elles ne l'étaient
pas?

Je veux dire que, comme il est plus difficile pour une
femme d'avoir autant de culture, de connaissances, de
liberté qu'un homme, une femme peut vous apparaître
comme égale, même si elle n'a pas de culture, de liberté,
et autres qualités?

— Il y a de ça. Je considérais qu'elle avait un certain
type de sentiments, et une manière d'être, que je retrouvais en moi. Je me sentais donc capable de causer avec
des femmes beaucoup mieux qu'avec des hommes.
Avec des hommes, la conversation dégénère toujours
en questions de métier. On en arrive toujours à parler
ou des rapports économiques du moment, ou de l'aoriste
grec, selon qu'on est professeur ou commerçant; mais il
est rare que, par exemple, on puisse s'asseoir à la ter-
rasse d'un café et parler du temps qu'il fait dehors,
des gens qui passent, de l'aspect de la rue, toutes choses
que j'ai toujours faites avec les femmes, et qui me donnaient avec elles une impression d'égalité; encore que,
bien sûr, c'est moi qui menais la conversation. Je la
menais, parce que j'avais décidé de la mener.

— *Mais, dans ce fait que c'est vous qui meniez la*
conversation, qu'il était normal que ce soit vous, il
entrait du « machisme ». D'ailleurs, je dois dire que,
dans l'ensemble de vos œuvres, quand on les relit, on
trouve des traces de machisme, et même de phallo-
cratie.

— Vous exagérez un peu. Mais, enfin, je veux bien
croire que c'est vrai.

— *Mais, vous-même, vous ne vous sentiez pas*
machiste?

— D'une certaine manière, si, puisque c'est moi qui
mettais les rapports sur un plan ou sur un autre, si la
femme était d'accord, bien sûr. Mais c'était moi qui

faisais les premières tentatives. Et je ne prenais pas le machisme comme quelque chose qui venait de ma condition de mâle. Je le prenais comme une caractéristique particulière de ma personne.

— *C'est curieux, puisque vous avez été le premier à dire que la psychologie, l'intériorité, ça n'est jamais que l'intériorisation d'une situation.*

— Oui. J'avais la situation générale de l'homme de notre époque par rapport aux femmes. Je la prenais pour une supériorité individuelle. Il ne faut pas oublier, je l'avoue aussi, que je me suis attribué beaucoup de supériorité sur ma classe d'âge et de sexe. C'est-à-dire sur beaucoup d'hommes.

— *C'est-à-dire que l'idée de supériorité ne vous semblait pas particulière dans votre rapport aux femmes, parce que vous l'aviez avec tout le monde?*

— Si vous voulez. Cependant, elle avait quelque chose de particulier, puisqu'elle s'accompagnait de sentiment. Il faudrait étudier la supériorité saisie à travers un sentiment. Qu'est-ce que c'est qu'aimer quelqu'un en se sentant supérieur à lui, et dans quelle mesure y a-t-il une contradiction?

— *Enfin, moi, ce que je retiens comme le plus intéressant là-dedans, c'est que, quoique vous disiez volontiers que vous êtes n'importe qui, vous n'avez pas senti votre machisme comme étant celui de n'importe qui.*

— Mais comme le machisme particulier d'un individu. Il ne faudrait pas croire que je me suis considéré comme n'importe qui toute ma vie. C'est à partir de quarante ans que je l'ai fait, et c'est à ce moment-là que je l'ai écrit, et je le pense encore.

— *Pour en revenir au machisme, il faut tout de même nuancer. Parce que, après tout, vous m'avez vivement encouragée à écrire* Le Deuxième Sexe; *et lorsque le livre a été écrit, vous en avez accepté toutes les thèses, alors que des gens comme Camus, par exemple, m'ont* quasi jeté le livre à la figure. C'est à ce moment-là, d'ailleurs, que j'ai découvert le machisme d'un certain nombre d'hommes que je croyais vraiment démocrates, par rapport au sexe, comme par rapport à l'ensemble de la société.

— Oui, mais d'abord, il faudrait dire que, dans nos rapports, je vous ai toujours considérée comme une égale.

— Je dois dire que vous ne m'avez jamais opprimée, et que vous n'avez jamais marqué de supériorité sur moi. Pour nuancer votre machisme, il est important de voir que nous n'avons jamais eu de rapports d'infériorité-supériorité, comme en ont souvent une femme et un homme.

— Dans ce rapport même, j'ai appris, j'ai compris qu'il y avait des rapports entre homme et femme qui indiquaient l'égalité profonde des deux sexes. Je ne me considérais pas comme supérieur à vous, ou plus intelligent, ou plus actif, donc je nous mettais sur le même plan. Nous étions des égaux. Je pense, curieusement, que ça a fortifié mon machisme, d'une certaine façon, parce que ça m'a permis, avec d'autres femmes, de me retrouver machiste. Cependant, l'égalité que nous avions ne me semblait pas simplement une égalité de fait de deux individus, mais me paraissait révéler l'égalité profonde des deux sexes.

— Cela dit, Le Deuxième Sexe, vous l'avez accepté. Il ne vous a pas du tout changé; je dois dire, moi non plus, d'ailleurs, car je crois que nous avions la même attitude à ce moment-là.

Nous avions la même attitude, à savoir que, tous les deux, nous croyions que la révolution socialiste entraînerait nécessairement l'émancipation de la femme. Nous avons bien déchanté, parce que nous nous sommes aperçus que, ni en U.R.S.S., ni en Tchécoslovaquie, ni dans aucun des pays dits socialistes que nous connais-

sons, la femme n'était vraiment l'égale de l'homme.
C'est d'ailleurs ce qui m'a décidée, à partir de 1970
à peu près, à adopter une attitude franchement fémi-
niste. Je veux dire par là, à reconnaître la spécificité
des luttes des femmes. Vous m'avez suivie, d'ailleurs,
dans cette voie, mais je voudrais préciser jusqu'à quel
point. Qu'est-ce que vous pensez, maintenant, de la
lutte des femmes pour leur libération? Par exemple,
comment pensez-vous qu'elle s'articule avec la lutte des
classes?

— Pour moi, ce sont deux luttes d'aspect et de sens
différents, qui ne se recoupent donc pas toujours. La
lutte des classes, jusqu'ici, oppose des hommes entre
eux. Il s'agit essentiellement de rapports entre hommes,
de rapports concernant la puissance ou l'économie. Le
rapport des femmes et des hommes est très différent.
Sans doute, il y a des implications très importantes du
point de vue économique, mais la femme n'est pas une
classe, et l'homme, par rapport à la femme, n'en est
pas une non plus. C'est autre chose, c'est le rapport des
sexes. C'est-à-dire qu'il y a, au fond, deux grandes
lignes de lutte pour les opprimés : la lutte des classes
et la lutte des sexes. Bien sûr, ces deux lignes se
rejoignent souvent.

Par exemple, aujourd'hui, la lutte des classes et la
lutte des sexes tendent à se rejoindre. Je dis « tendent »,
parce que les principes des articulations ne sont pas les
mêmes. La femme du bourgeois et la femme de l'ouvrier
ne sont pas exactement opposées comme des classes. La
division en classes, bourgeois-ouvriers, n'atteint que
très secondairement les femmes. Par exemple, on trouve
fréquemment des rapports entre une bourgeoise et sa
bonne, ou sa femme de ménage, qui seraient impen-
sables entre un bourgeois patron d'usine, ou ingé-
nieur dans cette usine, et un ouvrier O.S. de la même
usine.

— *Quel genre de rapports voulez-vous dire?*

— Les rapports où la bourgeoise parle de son mari, de ses rapports avec son mari, de sa maison... Il peut y avoir une complicité entre deux femmes appartenant à des classes différentes. Je pense qu'une bourgeoise, sauf dans des cas précis où elle est, par exemple, chef d'entreprise, n'appartient pas à la classe bourgeoise. Elle est bourgeoise par son mari.

— *Vous voulez dire, une bourgeoise traditionnelle?*

— Oui, qui, d'abord, jeune fille, vit chez ses parents, sous l'autorité de son père, puis épouse un homme qui reprendra, en les adoucissant un peu, les mêmes principes que son père. Elle n'a pas l'occasion de s'affirmer comme appartenant à la classe masculine, à la classe bourgeoise. Bien sûr, dans beaucoup de cas, elle assimile les principes bourgeois. Bien sûr, une femme de bourgeois apparaît normalement comme une bourgeoise. Elle exprime souvent, avec plus de force même, les mêmes opinions que son mari. Et, d'une certaine manière, elle imite les conduites de son mari, dans la mesure où elle a des rapports avec des « inférieurs ».

Par exemple, elle est ambiguë vis-à-vis de sa femme de ménage, elle a une double attitude vis-à-vis d'elle. Il y a une certaine complicité de sexe, qui est le rapport proprement féminin, au nom duquel la bourgeoise fait des confidences à la femme de ménage, qui les comprend, et qui peut justifier la confiance de la bourgeoise par certaines réflexions; et puis, il y a, de l'autre côté, l'autorité de la bourgeoise, qui n'est qu'une autorité acquise par ses rapports avec son mari.

— *Autrement dit, vous accepteriez la thèse de certaines femmes du M.L.F. selon laquelle la bourgeoise ne l'est que par procuration.*

— Certainement, étant donné qu'elle n'a jamais le rapport à la vie économique et sociale qu'a l'homme. Elle ne l'a que par personne interposée. Une bourgeoise est très rarement en rapport avec le capital. Elle est liée sexuellement à un homme qui a ces rapports.

— *D'ailleurs, il est frappant que, si une bourgeoise est entretenue par son mari, et qu'elle n'a pas un père qui la reprenne en mains au cas où le mari demande le divorce, elle est obligée de chercher un métier; et, très souvent, ce sera un métier très mal payé, qui ne l'élèvera guère au-dessus de la condition des prolétaires.*

— Je vois le rapport à l'argent qu'a eu ma mère; elle a d'abord reçu de l'argent de son mari, puis de son père, puis elle a été demandée en mariage par un autre homme, mon beau-père, qui l'a entretenue jusqu'à ce qu'il meure; à la fin de sa vie, elle a vécu en partie de ce que mon beau-père lui avait laissé, et en partie de certaines sommes que je lui donnais. Elle a été, d'un bout à l'autre de sa vie, entretenue par des hommes, et elle n'a eu aucun rapport direct avec le capital.

— *Autrement dit, vous reconnaissez la spécificité de la lutte féminine?*

— Absolument. Je ne pense pas qu'elle découle de la lutte des classes.

— *Pour moi, le féminisme représente une de ces luttes qui se situent en dehors de la lutte des classes, quoique liées avec elle d'une certaine manière. On en trouve beaucoup d'autres aujourd'hui : par exemple, les luttes des Bretons, des Occitans, etc., qui ne se recoupent pas avec la lutte des classes.*

— Elles y sont quand même plus étroitement liées.

— *La rébellion des jeunes soldats, c'est également autre chose que la lutte des classes. Je crois qu'il y a beaucoup de mouvements aujourd'hui qui sont à la fois en rapport avec la lutte des classes, et à la fois indépendants, ou, en tout cas, irréductibles à cette lutte.*

— Il faudrait les examiner les uns après les autres. Je reconnais que la spécificité de la lutte des femmes contre les hommes n'est pas du tout la lutte des classes opprimées contre leurs oppresseurs. C'est autre chose. Encore que l'essentiel de la lutte des femmes contre les hommes, c'est bien une lutte contre l'oppression, parce que l'homme essaie de cantonner la femme dans une position secondaire.

— *Cette lutte féministe que vous reconnaissez comme telle, quelle importance est-ce que vous lui accordez? Est-ce que vous garderiez la vieille distinction entre contradiction première et contradiction secondaire, et penseriez-vous la lutte des femmes comme secondaire?*

— Non, je prends la lutte des femmes comme primaire. Pendant des siècles, cette lutte ne s'est manifestée que dans des rapports individuels, dans chaque foyer. L'ensemble de ces luttes particulières est en train de construire une lutte plus générale. Elle n'atteint pas tout le monde. Je dirai même que la majorité des femmes ne se rend pas compte qu'elle aurait intérêt à joindre sa lutte individuelle à une lutte plus générale, qui est celle de toutes les femmes contre tous les hommes. Cette lutte générale n'a pas encore pris toute son ampleur.

— *Il y a des domaines dans lesquels, sans être très conscientes, les femmes se sentent très concernées : la bataille au sujet de l'avortement, c'est la bataille qui a été menée au départ par une poignée d'intellectuelles; quand nous avons signé le manifeste des 343, nous étions encore très peu nombreuses, mais ça avait une telle résonance chez toutes les femmes, que, finalement, on est arrivé à arracher au gouvernement la loi sur l'avortement; loi qui n'est pas entièrement satisfaisante, loin de là, mais qui est quand même une victoire.*

— Oui, mais notez que beaucoup d'hommes sont partisans, aussi, de l'avortement. Souvent, c'est l'homme qui paie l'avortement. Un homme qui est marié et qui a une maîtresse, par exemple, n'a aucune envie d'avoir un enfant d'elle.

— *Je vous trouve bien optimiste, touchant la sollici-*

tude des hommes pour les femmes enceintes. Le nombre
de cas où l'homme se défile complètement, ne donne ni
argent, ni aucun secours moral, est considérable. La
bataille de l'avortement, c'est par les femmes qu'elle a
été gagnée.

— Dans une certaine mesure, actuellement, oui. Mais,
malgré tout, c'est une assemblée d'hommes qui a voté
la loi; il y a eu là une certaine complicité des sexes.

— *Cela dit, il y a beaucoup de femmes qui ne sont*
pas positivement conscientes de leur oppression, qui
trouvent naturel de faire, à elles seules, tout le tra-
vail domestique, d'avoir presque seules la charge des
enfants. Que pensez-vous du problème qui se pose à des
femmes du M.L.F. quand elles sont en présence, met-
tons, d'ouvrières qui, d'une part, travaillent à l'usine où
elles sont exploitées et qui, d'autre part, sont exploitées
à la maison par le mari. Pensez-vous qu'il faut, ou non,
leur ouvrir les yeux sur cette oppression domestique?

— Certainement. Mais il est évident qu'à l'heure
actuelle, il y a une séparation entre les femmes bourgeoises, ou petites-bourgeoises, et les ouvrières. Elles
ont, au fond, les mêmes intérêts, et, d'ailleurs, elles
peuvent avoir une communication en tant que femmes,
mais elles restent séparées les unes des autres; et cela,
en grande partie, à cause de la séparation de classes qui
oppose leurs maris, et parce qu'elles sont obligées de
refléter les idées sociales des maris bourgeois ou des
maris ouvriers. C'est ça qui distingue surtout les femmes
bourgeoises des femmes ouvrières, parce que le mode de
vie, au fond, c'est-à-dire la gestion du foyer, le soin des
enfants, etc., on les retrouve, à des degrés différents,
des deux côtés.

— *Oui. Seulement, l'ouvrière qui travaille elle-même,*
subit les deux oppressions.

Et alors, ma question est très précisément — et c'est
pour des raisons pratiques que je vous la pose : faut-

*il dresser, en quelque sorte, la femme contre son
mari, alors qu'il lui apparaît bien souvent comme, au
contraire, le seul refuge contre l'oppression patronale?*

— Il y a là une contradiction. Mais il faut bien considérer que c'est le contraire de ce qu'on dit d'ordinaire.
La contradiction majeure, c'est celle de la lutte des
sexes, et la contradiction mineure, c'est celle de la lutte
des classes.

Dans la mesure où la femme se trouve subir une
double oppression, la lutte des sexes est prioritaire. Je
pense qu'il faut que la femme ouvrière invente une
synthèse, diverse d'ailleurs selon les cas, entre la lutte
ouvrière et la lutte des femmes, et qu'elle ne minimise
ni l'une ni l'autre. Je ne pense pas que ce soit facile,
mais c'est dans ce sens que peut aller le progrès.

— *Oui; mais je me souviens d'une discussion que nous
avons eue après* Coup sur coup *de Karmitz. Il y avait
des femmes du M.L.F. et des ouvrières qui assistaient à
la projection. Quand nous avons parlé de l'oppression
qu'elles subissent de la part de leur mari, elles nous ont
laissé très clairement entendre qu'elles étaient beaucoup plus proches d'un mari ouvrier que d'une femme
bourgeoise.*

— D'une certaine façon, ça me paraît évident. Mais
la question est de savoir si les problèmes qui se posent
aux femmes bourgeoises ne sont pas les mêmes que ceux
qui se posent aux femmes ouvrières. Parce que, comme
nous l'avons vu, abandonnée par son mari, ou simplement veuve, la femme bourgeoise risque de rejoindre
l'ouvrière, en tout cas, la petite-bourgeoise, avec des
métiers très mal payés.

— *On voit une articulation entre la lutte des classes
et la lutte des sexes dans le cas où les femmes lancent
des mouvements de revendications professionnelles.*

*J'en connais deux exemples : il y a eu une grève à
Troyes, voici deux ou trois ans; les ouvrières meneuses*

de la grève ont déclaré à des femmes du M.L.F. qui les interrogeaient, d'une manière très spontanée et très violente : « Maintenant que j'ai compris ce que c'est que de se révolter, je ne me laisserai plus marcher sur les pieds à la maison. Il faudra pas que mon mari joue les petits chefs. »

Également, les employées des Nouvelles Galeries *de Thionville, qui ont fait une grève très dure, ont tenu des propos extrêmement féministes, en expliquant qu'elles prenaient conscience, justement, de la double exploitation, et qu'elles les refusaient toutes les deux. Donc, on peut conclure que, selon vous, au risque de créer une certaine tension un peu pénible pour la femme, il est bon de l'aider à ouvrir les yeux?*

— Évidemment. Il me paraît impossible de supprimer une des luttes essentielles entre êtres humains pour une partie de la population. Puisque les femmes sont victimes, il faut qu'elles en prennent conscience.

— Je suis d'accord. Il faut qu'elles en prennent conscience, et qu'elles trouvent les moyens de lutter, qu'elles ne se sentent pas isolées dans leur lutte.

Maintenant, il y a une autre question que je voudrais vous poser, qui me semble être importante, et qui est discutée au sein du M.L.F. : c'est la relation à établir entre ce qu'on peut appeler la promotion, et l'égalité.

D'une part, nous sommes pour une société égalitaire, avec abolition non seulement de l'exploitation de l'homme par l'homme, mais des hiérarchies, des privilèges, etc. D'autre part, nous voulons accéder aux mêmes qualifications que les hommes, avoir les mêmes chances au départ, avoir les mêmes salaires, les mêmes chances dans une carrière, les mêmes possibilités d'arriver au sommet de la hiérarchie. Il y a là une certaine contradiction.

— La contradiction existe d'abord parce qu'il y a une hiérarchie. Si nous supposons un mouvement, comme je le souhaite, qui la supprime, la contradiction cessera, c'est-à-dire que les femmes seront traitées exactement comme les hommes. Il y aura une égalité profonde de l'homme et de la femme dans le travail, et ce problème ne se posera plus. Mais il faut considérer les choses aujourd'hui. Aujourd'hui, les hommes eux-mêmes sont, d'une part, assez égaux en ce qui concerne les métiers secondaires ou les métiers peu payés ou exigeant peu de connaissances. Et, au contraire, il y a des métiers très bien payés, qui confèrent un pouvoir, et exigent un savoir. Il me paraît légitime que la majorité des femmes s'unissent entre elles pour l'égalité absolue de l'homme et de la femme sur un plan où les hiérarchies n'existeront plus; et, d'autre part, dans la société actuelle, qu'elles fassent la preuve, à travers un certain nombre d'entre elles, qu'elles sont les égales des hommes jusque dans les métiers d'élite.

Je considère donc qu'un certain nombre de femmes, à la condition qu'elles appartiennent au même mouvement, égalitaire et féministe, doivent, parce qu'elles le peuvent, aller jusqu'en haut de l'échelle sociale, pour montrer qu'elles ne sont pas dépourvues d'intelligence lorsqu'il s'agit des mathématiques ou des sciences, par exemple, comme beaucoup d'hommes le prétendent, et qu'elles sont capables de faire les mêmes métiers que les hommes.

Il me paraît que, à l'heure qu'il est, ces deux catégories de femmes sont indispensables, étant bien entendu que la catégorie élitiste est déléguée, en quelque sorte, par la masse des femmes, pour prouver que, dans cette société actuelle fondée sur des élites et l'injustice, les femmes peuvent être de l'élite, comme les hommes. Ça me paraît nécessaire, parce que ça désarmera une partie des hommes qui sont contre les femmes, en prétextant une infériorité, intellectuelle ou autre, des femmes par rapport à eux.

— On pourrait dire que ça les désarmera, plutôt que ça ne les convaincra. Ils veulent penser les femmes inférieures parce qu'ils veulent la première place. Mais n'existe-t-il pas un risque que ces femmes servent d'alibis? Il y a eu, là aussi, au sein du M.L.F., des tendances différentes à propos de Mlle Chopinet [1]. Les unes disaient, dont je suis : c'est très bien qu'elle ait prouvé ses capacités; et d'autres ripostaient : les hommes vont s'en servir comme d'un alibi, en disant : « Mais on vous donne les mêmes chances, vous voyez bien, vous pouvez arriver aussi bien que les hommes; par conséquent, ne dites pas que vous êtes maintenues en situation d'infériorité. » Que pensez-vous de ce danger?

— Je pense qu'il existe, quoique la réponse aux hommes est facile, et vous l'avez suffisamment donnée, par exemple dans le numéro des *Temps modernes* consacré aux femmes. Cependant, le danger existe. C'est pourquoi la femme-alibi, dont vous parlez, est une créature ambiguë; elle peut justifier l'inégalité, et elle n'existe que comme déléguée, en quelque sorte, de la femme qui veut l'égalité. Cependant, je crois que, dans la société actuelle, il est impossible de négliger le fait qu'il y a des femmes qui font des métiers d'hommes et qui réussissent aussi bien qu'eux.

— Et puis, il faut dire qu'on risque toujours de servir d'alibi, de devenir un alibi aux yeux de ce qu'on combat. Ça revient à l'idée de « faire le jeu de... ». On ne peut rien entreprendre sans faire, d'une manière ou d'une autre, le jeu de quelqu'un. Par exemple, on ne va pas cesser d'écrire sous prétexte que, même si on écrit contre la bourgeoisie, la bourgeoisie nous récupère comme écrivain bourgeois.

Donc, là, nous sommes d'accord, il est bon que la femme ait les plus hautes qualifications. Seulement, je

1. Reçue première à l'École polytechnique.

*distinguerai deux choses : la qualification et le poste.
Parce que, même si elle est qualifiée, va-t-elle accepter
des postes qui impliquent le maintien des hiérarchies
dont on ne veut pas?*

— Je pense qu'il est impossible de concevoir actuellement une qualification qui ne conduise pas à des postes... Dans ces postes, la femme peut amener des changements.

— *Ce qu'on peut dire aussi, c'est qu'il y a des postes
que les hommes également refuseront. Après tout, une
femme devrait refuser d'être inspecteur général ou
d'être ministre dans le gouvernement tel qu'il est, mais
un homme aussi. Au fond, il y a les mêmes impossibilités pour les uns que pour les autres. Mais les femmes
risquent beaucoup d'être piégées, parce qu'elles exerceront le pouvoir que cette qualification leur donne,
à l'intérieur d'un monde d'hommes qui ont la quasi-
totalité du pouvoir.*

*Par exemple, on pourrait espérer qu'une femme qui
fait de la recherche en biologie dirige ses recherches
vers les problèmes féminins : menstruation, contraception, etc. En fait, elle fera des recherches dans des
cadres qui seront déjà dessinés par les hommes; donc,
je pense que sa position est très délicate, car il ne faut
pas qu'elle serve des intérêts uniquement masculins.*

*Et cela nous amène à une autre question, qui est aussi
controversée au sein du M.L.F. : est-ce que les femmes
doivent entièrement rejeter cet univers masculin, ou s'y
faire une place? Est-ce qu'elles doivent voler l'outil, ou
changer l'outil? Je veux dire aussi bien la science, que le
langage, que les arts. Toutes les valeurs sont marquées
du sceau de la masculinité. Faut-il, pour cela, complètement les rejeter, et essayer de réinventer, à partir de
zéro, radicalement autre chose? Ou faut-il s'assimiler
ces valeurs, s'en emparer, s'en servir, à des fins féministes? Qu'est-ce que vous en pensez?*

— Cela pose le problème de savoir s'il y a des valeurs spécifiquement féminines. Je constate, par exemple, que les romans féminins essaient d'aborder souvent la vie intérieure de la femme; et que leurs auteurs se servent des valeurs masculines pour rendre compte des faits féminins; il y a quelques valeurs proprement féminines qui sont liées à la nature, à la terre, aux vêtements, etc. Ce sont des valeurs secondaires, et qui ne correspondent pas à une réalité féminine éternelle.

— *Vous posez là une autre question, celle de la « féminitude ». Personne, parmi nous, n'admet l'idée qu'il y a une nature féminine; mais est-ce que, culturellement, le statut d'oppression de la femme n'a pas développé en elle certains défauts, mais aussi certaines qualités, qui diffèrent de ceux des hommes?*

— Certainement. Mais ils n'impliquent pas que dans un avenir plus ou moins éloigné, si le féminisme triomphe, ces principes et cette sensibilité doivent demeurer.

— *Pourtant, si nous nous considérons comme détenant certaines qualités positives, est-ce qu'il ne vaut pas mieux les communiquer aux hommes, que les supprimer chez la femme?*

— Il est possible, en effet, qu'une meilleure connaissance de soi, plus intérieure, plus précise, appartienne surtout à la femme et moins à l'homme.

— *Dans la mesure où vous disiez, au début, que vous aimiez mieux fréquenter des femmes que des hommes, n'est-ce pas parce que, du fait de leur oppression, elles échappent à certains défauts masculins? Vous avez dit souvent qu'elles étaient moins « comiques » que les hommes?*

— C'est certain. L'oppression y est pour beaucoup. Je veux dire par « moins comiques » que, chez l'homme, dans la mesure où il se constitue comme un homme-moyen, il se rencontre avec des conditions extérieures qui le rendent proprement comique.

Par exemple, lorsque j'attribuais mon machisme à une qualité personnelle et non pas à une action du monde social sur moi, j'étais comique.

— *Vous voulez dire que l'homme est plus facilement dupe?*

— Plus facilement dupe, et plus facilement comique. La société d'hommes est une société comique.

— *En gros, parce que chacun joue des rôles et est complètement guindé dans ces rôles?*

— C'est ça. La femme, en tant qu'opprimée, est quasiment plus libre, d'une certaine manière, que l'homme. Elle a moins de principes lui dictant sa conduite. Elle a plus d'irrespect.

— *Donc, vous dites que vous approuvez la lutte féministe?*

— Absolument. Et je considère comme tout à fait normal que les féministes ne soient pas d'accord entre elles sur certains points, qu'il y ait des tiraillements, des divisions; c'est normal, pour un groupe qui en est au degré où vous êtes. Je pense aussi qu'elles manquent de base dans la masse, et leur travail, aujourd'hui, me paraît être de la gagner. A cette condition, la lutte féministe pourrait ébranler la société d'une manière qui la bouleverserait complètement, tout en s'alliant toujours à la lutte des classes.

L'Arc, *n° 61, 1975.*

AUTOPORTRAIT A SOIXANTE-DIX ANS

Michel Contat. — *Depuis un an, on entend colporter des rumeurs plus ou moins bienveillantes sur votre état de santé. Vous avez soixante-dix ans ce mois-ci. Alors, Sartre, comment ça va?*

Jean-Paul Sartre. — Il est difficile de dire que ça va bien mais je ne peux pas dire non plus que ça aille mal. Depuis deux ans, un certain nombre d'accidents me sont arrivés. En particulier, mes jambes sont douloureuses dès que je marche plus d'un kilomètre et je me borne en général à cette distance. D'autre part, j'ai des troubles de tension assez considérables mais qui, brusquement, ont disparu ces derniers temps : j'avais de l'hypertension assez grave et, maintenant, à la suite d'un traitement par médicaments, je suis revenu à un état qui est presque de l'hypotension.

Enfin, et surtout, j'ai eu des hémorragies derrière mon œil gauche — le seul de mes deux yeux qui voie, puisque mon œil droit a pratiquement perdu la vue quand j'avais trois ans — et, à l'heure qu'il est, je vois encore les formes, vaguement, je vois les lumières, les couleurs, mais je ne vois plus les objets ni les visages distinctement. Et je ne peux, par conséquent, plus ni lire ni écrire. Plus exactement, je peux écrire, c'est-à-dire former des mots avec ma main, et je le fais actuel-

lement de façon à peu près convenable, mais je ne vois
pas ce que j'écris. Et la lecture m'est absolument impossible : je vois des lignes, des espaces entre les mots mais
je ne peux plus distinguer les mots eux-mêmes. Privé
de mes capacités de lire et d'écrire, je n'ai plus aucune
possibilité de m'activer comme écrivain : mon métier
d'écrivain est complètement détruit.

Cependant, je peux encore parler. C'est pour cela
que mon prochain travail sera, si la télévision réussit à
trouver le financement, une série d'émissions où
j'essaierai de parler des soixante-quinze années de ce
siècle. Ce travail, je le fais en commun avec Simone de
Beauvoir, Pierre Victor et Philippe Gavi, qui ont aussi
leurs idées à exprimer et qui, de plus, se chargent de
la besogne de rédaction que je suis incapable de faire
moi-même : je parle devant eux et ils prennent des
notes, par exemple, ou bien nous discutons et eux
rédigent ensuite le projet sur lequel nous nous sommes
entendus. Quelquefois, j'écris aussi, c'est-à-dire que je
note le contenu d'un discours que ces émissions devront
comporter. Mais eux seuls peuvent le lire et le dire pour
moi.

Voilà ma situation actuelle. A part cela, je me porte
très bien. Je dors d'excellent sommeil. Ce travail avec
mes camarades, je le fais avec efficacité. Mon esprit
est probablement aussi fin — pas plus mais pas moins —
qu'il y a dix ans et ma sensibilité est restée la même.
Ma mémoire, la plupart du temps, est bonne, sauf pour
les noms, qu'il me faut souvent un effort pour retrouver
et qui, parfois, m'échappent. Je peux me servir des
objets que je reconnais à la position qu'ils occupent.
Dans la rue, je me dirige seul sans trop de difficulté.

— *Ne plus pouvoir écrire, c'est quand même un coup
considérable. Vous en parlez avec sérénité...*

— En un sens, ça m'ôte toute raison d'être : j'ai été
et je ne suis plus, si vous voulez. Mais je devrais être

très abattu et, pour une raison que j'ignore, je me sens
assez bien : je n'ai jamais de tristesse ni de moments de
mélancolie en pensant à ce que j'ai perdu.

— *Aucune révolte?*

— Contre qui, contre quoi voulez-vous que je me
révolte? Ne voyez pas là du stoïcisme — quoique, vous
le savez, j'ai toujours eu de la sympathie pour les
stoïciens. Non, simplement, c'est comme ça et je n'y
peux rien, alors je n'ai pas de raison de me désoler.
J'ai eu des moments pénibles parce que ça a été, à un
moment donné, plus grave, il y a deux ans. J'ai eu des
espèces de légers délires. Je me rappelle m'être pro-
mené à Avignon, où j'étais avec Simone de Beauvoir,
en cherchant une jeune fille qui m'avait donné rendez-
vous à un certain endroit, sur un banc. Bien entendu,
il n'y avait pas de rendez-vous...

Maintenant, tout ce que je peux faire, c'est m'accom-
moder de ce que je suis, en faire le tour, évaluer les
possibilités et m'en servir au mieux. C'est la perte de la
vue qui, bien sûr, me gêne le plus et là, d'après les
médecins que j'ai consultés, c'est irrémédiable. C'est
ennuyeux parce que je sens suffisamment de choses
pour avoir envie d'écrire, pas tout le temps mais à
l'occasion.

— *Vous vous sentez désœuvré?*

— Oui. Je me promène un peu, on me fait la lecture
des journaux, j'écoute la radio, quelquefois j'entrevois
ce qui se passe à la télévision et, en effet, ce sont là des
activités de désœuvrement. L'unique but de ma vie,
c'était d'écrire. J'écrivais sur ce que j'avais préalable-
ment pensé, mais le moment essentiel était celui de
l'écriture. Je pense toujours mais, l'écriture m'étant
devenue impossible, l'activité réelle de la pensée est,
d'une certaine façon, supprimée.

Ce qui m'est désormais interdit, c'est quelque chose
que beaucoup de jeunes gens d'aujourd'hui méprisent :

le style, disons la manière littéraire d'exposer une idée
ou une réalité. Cela demande nécessairement des corrections — corrections qui, parfois, se renouvellent
cinq, six fois. Je ne peux plus même me corriger une
fois puisque je ne peux pas me relire. Donc, ce que
j'écris ou ce que je dis en reste nécessairement à la première version. Quelqu'un peut me relire ce que j'ai écrit
ou dit et je peux, à la rigueur, apporter quelques corrections de détail, mais cela n'aura rien à voir avec
ce que serait un travail de réécriture fait sous ma
plume.

— *Ne pourriez-vous pas utiliser un magnétophone,*
dicter, vous réécouter, enregistrer vos corrections?

— Je pense qu'il y a une différence énorme entre la
parole et l'écriture. Ce qu'on écrit, on le relit. Mais on
le lit lentement ou rapidement; autrement dit, vous ne
décidez pas du temps que vous resterez penché sur une
phrase, parce que ce qui ne va pas dans cette phrase
peut ne pas vous apparaître du premier coup : c'est
peut-être quelque chose en elle, c'est peut-être un mauvais rapport qu'elle a avec la phrase qui précède ou qui
suit ou avec l'ensemble du paragraphe ou du chapitre, etc.

Tout cela suppose que vous regardiez votre texte
un peu comme un grimoire, que vous changiez succes-
sivement des mots ici et là, et puis que vous reveniez
sur ce changement et que vous en fassiez un autre, que
vous modifiiez ensuite un élément qui se trouve beaucoup plus loin, et ainsi de suite. Si j'écoute un magnétophone, le temps d'écoute est défini par la vitesse de
déroulement de la bande et non pas par mes propres
besoins. Donc je resterai toujours en deçà ou au-delà
du temps que me donne l'appareil.

— *Avez-vous essayé?*

— J'essaierai, j'essaierai loyalement mais je suis certain que cela ne me satisfera pas. Par mon passé, par

ma formation, par l'essentiel de mon activité jusqu'à présent, je suis d'abord un homme de l'écrit et il est trop tard pour que je change. Si j'avais perdu la vue à quarante ans, cela aurait pu être différent. J'aurais peut-être appris d'autres techniques d'expression, comme l'usage du magnétophone, dont je sais que certains auteurs se servent. Mais je ne vois pas que, pour moi, il puisse donner ce que l'écriture me permettait.

En moi-même, l'activité intellectuelle reste ce qu'elle était, c'est-à-dire un contrôle de la réflexion. Je peux donc avoir, sur le plan réflexif, par rapport à ce que je pense, une activité correctrice, mais elle reste strictement subjective. Encore une fois, le travail du style tel que je l'entends suppose nécessairement l'écriture.

Beaucoup de jeunes gens aujourd'hui n'ont aucun souci du style et pensent que ce qu'on a à dire il faut le dire simplement, et puis c'est tout. Pour moi, le style — qui n'exclut pas la simplicité, au contraire — est d'abord une manière de dire trois ou quatre choses en une. Il y a la phrase simple, avec son sens immédiat, et puis, dessous, simultanément, des sens différents qui s'ordonnent en profondeur. Si l'on n'est pas capable de faire rendre au langage cette pluralité de sens, ce n'est pas la peine d'écrire.

Ce qui distingue la littérature de la communication scientifique, par exemple, c'est qu'elle n'est pas univoque; l'artiste du langage est celui qui dispose les mots de telle manière que, selon l'éclairage qu'il ménage sur eux, le poids qu'il leur donne, ils signifient une chose, et une autre, et encore une autre, chaque fois à des niveaux différents.

— *Vos manuscrits philosophiques sont écrits au fil de la plume, presque sans ratures; vos manuscrits littéraires, au contraire, sont extrêmement travaillés, épurés. Pourquoi cette différence?*

— C'est la différence des objets : en philosophie,

chaque phrase ne doit avoir qu'un sens. Le travail que j'ai fait sur *Les Mots,* par exemple, en essayant de donner à chaque phrase des sens multiples et superposés, serait du mauvais travail en philosophie. Si j'ai à expliquer ce qu'est, mettons, le pour-soi et l'en-soi, cela peut être difficile, je peux utiliser différentes comparaisons, différentes démonstrations pour y arriver, mais il faut en rester à des idées qui doivent pouvoir se refermer : ce n'est pas à ce niveau-là que se trouve le sens complet — qui, lui, peut et doit être pluriel au niveau de l'ouvrage complet —, je ne veux pas dire, en effet, que la philosophie, comme la communication scientifique, soit univoque.

En littérature, qui a toujours, d'une certaine façon, affaire au *vécu,* rien de ce que je dis n'est totalement exprimé par ce que je dis. Une même réalité peut s'exprimer d'un nombre de façons pratiquement infini. Et c'est le livre entier qui indique le type de lecture que chaque phrase requiert, et jusqu'au ton de voix que cette lecture à son tour requiert, qu'on lise à haute voix ou non.

Une phrase de type purement objectif, comme on en rencontre souvent chez Stendhal, laisse forcément tomber une foule de choses, mais cette phrase comprend en elle toutes les autres et contient donc un ensemble de significations que l'auteur doit avoir constamment à l'esprit pour qu'elles passent toutes. Par conséquent, le travail du style ne consiste pas tant à ciseler une phrase qu'à conserver en permanence dans son esprit la totalité de la scène, du chapitre et, au-delà, du livre entier. Si vous avez cette totalité, vous écrivez la bonne phrase. Si vous ne l'avez pas, votre phrase détonnera ou paraîtra gratuite.

Ce travail est plus ou moins long, plus ou moins laborieux, selon les auteurs. Mais, de façon générale, il est toujours plus difficile d'écrire, mettons quatre phrases en une, qu'une seule en une seule comme en philosophie. Une phrase comme « Je pense, donc je suis » peut avoir des conséquences infinies dans toutes les directions, mais, en tant que phrase, elle a le sens que Descartes lui a donné. Tandis que, lorsque Stendhal écrit : « ... Tant qu'il put voir le clocher de Verrières, souvent Julien se retourna », en disant simplement ce que son personnage fait, il nous donne ce que Julien sent, et en même temps ce que sent Mme de Rénal, etc.

Il y a donc, bien évidemment, plus de difficulté à trouver une phrase qui vaille pour plusieurs qu'à trouver une phrase comme « Je pense, donc je suis. » Cette phrase, je suppose, Descartes l'a trouvée d'un coup, au moment même où il l'a pensée.

— *Vous-même vous êtes d'ailleurs adressé le reproche d'avoir usé dans* L'Être et le Néant *de formules trop littéraires, comme « l'homme est une passion inutile » qui était exagérément pathétique.*

— Oui, j'utilisais, par erreur — comme d'ailleurs la plupart des philosophes l'ont fait — des phrases d'ordre littéraire pour un texte dont le langage aurait dû être exclusivement technique, c'est-à-dire dont les mots auraient dû avoir un sens univoque. Dans la formule que vous citez, c'est évidemment l'équivoque sur le mot « passion » et sur le mot « inutile » qui a faussé le sens et qui a entraîné des malentendus. La philosophie a un langage technique qu'il faut employer — en le renouvelant au besoin, si on forge des notions nouvelles — et c'est l'amas des phrases techniques qui arrive à créer le sens total qui, lui, est un sens à plusieurs étages. Tandis que, dans le roman, ce qui va donner la totalité, c'est la superposition des sens de chaque phrase, en allant du sens le plus clair, le plus immédiat, au sens le plus profond, le plus complexe. Ce travail du sens par le travail du style, c'est précisément celui que je ne peux plus accomplir, faute de pouvoir encore me corriger.

— *Et ne plus pouvoir lire, est-ce pour vous un handi-cap très lourd?*

— Pour l'instant, je dirais que non. Je ne peux plus prendre connaissance par moi-même d'aucun des livres qui pourraient m'intéresser et qui paraissent actuellement. Mais des gens m'en parlent ou m'en lisent, et je me tiens à peu près au courant de ce qui paraît. Simone de Beauvoir m'a lu beaucoup de livres que nous avons complètement terminés, des ouvrages de toute sorte.

Cependant, j'avais l'habitude de parcourir les livres ou les revues que je recevais, et c'est un appauvrissement de ne plus pouvoir le faire. Mais pour mon travail actuel sur ces émissions historiques, si j'ai à prendre connaissance d'un ouvrage, mettons de sociologie ou d'histoire, cela revient au même si je l'entends lu par Simone de Beauvoir ou si je le lisais avec mes yeux. En revanche, si j'avais non pas seulement à assimiler des connaissances, mais à les critiquer, à examiner si elles sont cohérentes, si le livre est bâti selon ses propres principes, etc., là, ce ne serait plus suffisant. Il faudrait alors que je demande à Simone de Beauvoir de me le relire plusieurs fois, et de s'arrêter sinon à chaque phrase, du moins à chaque paragraphe.

Simone de Beauvoir lit et parle extrêmement vite. Je la laisse aller à sa vitesse habituelle, et c'est moi qui essaie de m'adapter au rythme de sa lecture. Cela demande bien sûr un certain effort. Et puis, nous échangeons des réflexions à la fin du chapitre. Le problème, c'est que jamais cet élément de critique réflexive, qui est constamment présent lorsqu'on lit un livre avec ses yeux, n'est très clair pendant une lecture à haute voix. Ce qui domine, c'est l'effort pour comprendre, tout simplement. L'élément de critique reste à l'arrière-plan, et ce n'est qu'au moment où nous mettons, Simone de Beauvoir et moi, nos opinions en commun que je sens

que je retire de mon esprit ce qui était caché par la
lecture.

— *Ne vous est-il pas pénible d'être ainsi tombé dans
la dépendance des autres?*

— Si, quoique pénible soit trop dire, puisque, encore
une fois, rien ne m'est pénible en ce moment. Malgré
tout, cette dépendance m'est un peu déplaisante. J'étais
habitué à écrire seul, à lire seul, et je crois encore que,
aujourd'hui, le vrai travail intellectuel exige la solitude.
Je ne dis pas que certains travaux intellectuels — et
même des livres — ne puissent être faits à plusieurs.
Mais le vrai travail, celui qui conduit à la fois à une
œuvre *écrite* et à des réflexions philosophiques, je ne
vois pas qu'on puisse le faire à deux ou à trois. A
l'heure qu'il est, avec nos méthodes actuelles de pensée,
le dévoilement d'une pensée en face d'un objet implique
la solitude.

— *Ne pensez-vous pas que cela vous est particulier?*

— Il m'est arrivé de faire un travail collectif, à
l'École normale, par exemple, ou plus tard, au Havre,
en commun avec d'autres professeurs, un projet de
réforme de l'enseignement universitaire. J'ai oublié ce
que nous y disions, et ça ne devait pas valoir grand-
chose. Mais tous mes livres, mis à part *On a raison de
se révolter* et les *Entretiens sur la politique* que j'ai
faits autrefois avec David Rousset et Gérard Rosenthal,
je les ai écrits entièrement seul.

— *Est-ce que cela vous gêne que je vous interroge sur
vous?*

— Non, pourquoi? J'estime que chacun devrait pouvoir dire, devant un interviewer, le plus profond de soi.
Selon moi, ce qui vicie les rapports entre les gens, c'est
que chacun conserve par rapport à l'autre quelque
chose de caché, de secret, pas nécessairement pour tous,
mais pour celui à qui il parle à tel moment présent.
Je pense que la transparence doit se substituer en

tout temps au secret, et j'imagine assez bien le jour où deux hommes n'auront plus de secrets l'un pour l'autre parce qu'ils n'en auront plus pour personne, parce que la vie subjective, aussi bien que la vie objective, sera totalement offerte, donnée. Il est impossible d'admettre que nous livrions notre corps comme nous le livrons, et que nous cachions nos pensées, étant donné que, pour moi, il n'y a pas de différence de nature entre le corps et la conscience.

— *N'est-ce pas uniquement aux gens à qui nous livrons réellement notre corps que nous livrons totalement nos pensées?*

— Nous livrons notre corps à tout le monde, même en dehors de toute relation sexuelle : par le regard, les contacts. Vous me livrez votre corps, je vous livre le mien : nous existons chacun l'un pour l'autre comme corps. Mais nous n'existons pas de la même manière comme conscience, comme idées, bien que les idées soient des modifications du corps.

Si nous voulions exister vraiment pour l'autre, exister comme corps, comme corps qui peut donc perpétuellement être dénudé — même si on ne le fait jamais —, les idées devraient apparaître à l'autre comme venant du corps. Les paroles sont tracées par une langue dans une bouche. Toutes les idées devraient apparaître comme cela, même les plus vagues, les plus fugaces, les moins saisissables. Autrement dit, il ne devrait plus y avoir cette clandestinité, ce secret que certains siècles ont cru être l'honneur de l'homme et de la femme, ce qui me semble une sottise.

— *Quel est pour vous l'obstacle principal à cette transparence?*

— C'est d'abord le Mal. J'entends par là que les actes sont inspirés par des principes différents et peuvent aboutir à des résultats que je désapprouve. Ce Mal rend difficile la communication de toutes les pensées, parce que je ne sais pas dans quelle mesure l'autre part des mêmes principes que moi pour former les siennes. Dans une certaine mesure, ces principes peuvent certes être éclaircis, discutés, établis; mais il n'est pas vrai que je puisse discuter avec n'importe qui de n'importe quoi. Je le puis avec vous, mais je ne le puis pas avec mon voisin ou le passant qui traverse la rue : à la limite, il préférera se battre que de discuter jusqu'au bout avec moi.

Donc, en fait, il y a un quant-à-soi, né de méfiance, d'ignorance, de peur, qui fait qu'à chaque instant je ne suis pas en confiance avec l'autre, ou je le suis trop peu. Personnellement d'ailleurs, je ne m'exprime pas sur tous les points avec les gens que je rencontre, mais j'essaie d'être le plus translucide possible, parce que j'estime que toute cette région sombre que nous avons en nous-mêmes, à la fois sombre pour nous et sombre pour les autres, nous ne pouvons l'éclaircir pour nous-mêmes qu'en essayant d'être clairs pour les autres.

— *N'est-ce pas d'abord dans l'écriture que vous avez cherché cette transparence?*

— Pas d'abord, en même temps. Si vous voulez, c'est dans l'écriture que j'allais le plus loin. Mais il y a aussi la conversation de tous les jours, avec Simone de Beauvoir, avec d'autres, avec vous, puisque nous sommes ensemble aujourd'hui, où j'essaie d'être le plus clair et le plus vrai possible, de manière à livrer entièrement, ou à essayer de livrer entièrement, ma subjectivité. En fait, je ne vous la donne pas, je ne la donne à personne, parce qu'il reste des choses qui, même à moi, refusent d'être dites, que je peux me dire à moi mais qui me refusent à moi d'être dites à l'autre. Comme chacun, j'ai un fond sombre qui refuse d'être dit.

— *L'inconscient?*

— Pas du tout. Je parle de choses que je *sais*. Il y a

toujours une espèce de petite frange qui n'est pas dite, et qui ne veut pas être dite, mais qui veut être sue, sue par moi. On ne peut pas tout dire, vous le savez bien. Mais je pense que plus tard, c'est-à-dire après ma mort, et peut-être après la vôtre, les gens parleront de plus en plus d'eux-mêmes et que ça fera un grand changement. Je pense que ce changement est lié, d'ailleurs, à une véritable révolution.

Il faut qu'un homme existe tout entier pour son voisin, qui doit également exister tout entier pour lui, pour que s'établisse une véritable concorde sociale. Ce n'est pas réalisable aujourd'hui, mais je pense que ce le sera lorsque le changement des rapports économiques, culturels, affectifs entre les hommes aura été accompli, d'abord par la suppression de la rareté matérielle, qui est, selon moi, comme je l'ai montré dans la *Critique de la raison dialectique,* le fondement de tous les antagonismes passés et actuels entre les hommes.

Il y aura sans doute alors des antagonismes nouveaux, que je ne peux pas imaginer, que personne ne peut imaginer, mais qui ne feront pas obstacle à une forme de socialité où chacun se donnera tout entier à quelqu'un qui se donnera tout entier. Une telle société, bien entendu, ne pourrait être que mondiale, car, s'il subsistait dans un seul endroit du monde des inégalités et des privilèges, les conflits induits par ces inégalités gagneraient à nouveau, de proche en proche, le corps social tout entier.

— *L'écriture ne naît-elle pas du secret et de l'antago-nisme? Dans une société de concorde, elle n'aurait peut-être plus de raison d'être...*

— L'écriture naît certainement du secret, mais n'oublions pas qu'elle vise soit à cacher ce secret et à mentir — alors, elle n'est pas intéressante —, soit à donner un aperçu sur ce secret, à essayer même de l'épuiser en témoignant de ce qu'on est vis-à-vis des autres — et,

dans ce cas, elle va dans le sens de cette translucidité
que je demande.

— *Vous m'avez dit, une fois, vers 1971 : « Il serait
temps que je dise enfin la vérité. » Vous aviez ajouté :
« Mais je ne pourrai la dire que dans une œuvre de fiction. » Pourquoi cela?*

— Je projetais alors d'écrire une nouvelle dans laquelle
j'aurais voulu faire passer de manière indirecte tout ce
que je pensais précédemment dire dans une sorte de testament politique qui aurait été la suite de mon autobiographie, et dont j'avais abandonné le projet. L'élément de fiction aurait été très mince; j'aurais créé un
personnage dont il aurait fallu que le lecteur pût dire :
« Cet homme dont il est question, c'est Sartre. »
Ce qui ne signifie pas que, pour le lecteur, il aurait dû
y avoir coïncidence du personnage et de l'auteur, mais
que la meilleure manière de comprendre le personnage
aurait été d'y chercher ce qui lui venait de moi. C'est ça
que j'aurais voulu écrire : une fiction qui n'en soit pas
une. Cela représente simplement ce qu'est écrire aujour-
d'hui. Nous nous connaissons peu, et nous ne pouvons
pas encore nous donner nous-mêmes jusqu'au bout. La
vérité de l'écriture, ce serait que je dise : « Je prends
la plume, je m'appelle Sartre, voici ce que je pense. »

— *Une vérité ne peut-elle s'énoncer indépendamment
de celui qui l'exprime?*

— Ce n'est plus intéressant. C'est supprimer l'individu
et la personne du monde dans lequel nous vivons et s'en
tenir aux vérités objectives. On peut arriver à des vérités objectives sans penser sa propre vérité. Mais, s'il
s'agit de parler à la fois de l'objectivité qu'on est, et de
la subjectivité qui est derrière cette objectivité, et qui
fait partie de l'homme au même titre que son objectivité,
à ce moment-là, il faut écrire : « Moi, Sartre. » Et,
comme cela n'est pas possible à l'heure actuelle, parce
que nous ne nous connaissons pas suffisamment, le

détour par la fiction permet d'approcher mieux cette totalité objectivité-subjectivité.

— *Diriez-vous alors que vous avez davantage approché votre vérité à travers Roquentin ou Mathieu qu'en écrivant* Les Mots?

— Probablement, ou plutôt, je pense que *Les Mots* n'est pas plus vrai que *La Nausée* ou *Les Chemins de la liberté.* Non pas que les faits que j'y rapporte ne soient pas vrais, mais *Les Mots* est une espèce de roman aussi, un roman auquel je crois, mais qui reste malgré tout un roman.

— *Quand vous disiez que le temps était venu de dire enfin la vérité, on aurait pu comprendre aussi que, jusqu'à présent, vous n'aviez fait que mentir.*

— Non, pas mentir, mais dire ce qui n'est qu'à moitié vrai, qu'au quart vrai... Par exemple, je n'ai pas décrit les rapports sexuels et érotiques de ma vie. Je ne vois d'ailleurs pas de raisons pour le faire, sinon dans une autre société où tout le monde jouerait cartes sur table.

— *Mais vous-même, êtes-vous sûr de savoir tout de vous? N'avez-vous jamais été tenté de faire une psychanalyse?*

— Si, mais pas du tout pour tirer au clair des choses que je n'aurais pas comprises moi-même. Au moment où j'ai repris *Les Mots*, dont j'avais écrit une première version vers 1954 et que j'ai ensuite repris vers 1963, j'ai demandé à un ami psychanalyste, Pontalis, s'il voulait entreprendre une analyse avec moi, plus par curiosité intellectuelle pour la méthode psychanalytique elle-même que pour mieux me comprendre. Il a estimé avec raison qu'étant donné les relations que nous avions depuis vingt ans, ça lui était impossible. Ce n'était d'ailleurs pour moi qu'une idée un peu en l'air, et je n'y ai plus repensé.

— *On peut d'ailleurs inférer de la lecture de vos*

romans beaucoup de choses concernant la manière dont
vous avez vécu la sexualité.

— Oui, ou même de mes ouvrages philosophiques.
Mais ça ne représente qu'un moment de ma vie sexuelle.
Et elle n'y est pas avec suffisamment de détails et de
complexité pour qu'on puisse m'y trouver vraiment.
Alors, me direz-vous, pourquoi en parler? Je vous
répondrai : parce que l'écrivain, selon moi, doit parler
du monde tout entier en parlant de lui-même tout entier.

La fonction de l'écrivain, c'est de parler de tout,
c'est-à-dire du monde en tant qu'objectivité, et en même
temps de la subjectivité qui s'oppose à elle, qui est en
contradiction avec elle. Cette totalité, l'écrivain doit en
rendre compte en la dévoilant jusqu'au bout. Voilà pourquoi il est obligé de parler de lui, et, par le fait, c'est
ce qu'il a toujours fait, plus ou moins bien, plus ou moins
complètement, mais toujours.

— *Où est alors la spécificité de l'écriture? Parler de*
cette totalité, cela paraît possible de le faire oralement,
non?

— C'est possible en principe, mais en fait on ne dit
jamais autant dans le langage oral que dans l'écriture.
Les gens ne sont pas habitués à se servir du langage
oral. Les conversations les plus profondes qu'il puisse
y avoir actuellement sont celles qu'ont entre eux des
intellectuels. Non que ceux-ci soient nécessairement
plus près de la vérité que des non-intellectuels, mais, à
l'heure qu'il est, ils ont des connaissances, un mode de
pensée — psychanalytique, sociologique par exemple —
qui leur permettent d'atteindre un certain point dans la
compréhension de soi-même et des autres auquel les
gens qui ne sont pas intellectuels n'atteignent pas naturellement. Le dialogue se fait en général de telle sorte
que chacun pense avoir tout dit et pense que l'autre a
tout dit, alors que, en vérité, les vrais problèmes com-
mencent au-delà de ce qui a été dit.

— *En somme, lorsque vous parliez de cette vérité qu'il était temps de dire, il s'agissait d'exprimer certaines choses non pas que vous aviez tues mais que vous n'aviez pas comprises auparavant?*

— Il s'agissait surtout de me mettre dans une certaine posture, d'où, nécessairement, m'apparaîtrait un certain genre de vérité que je ne connaissais pas encore. Il s'agissait, par le biais d'une fiction vraie — ou d'une vérité fictive —, de reprendre les actions, les pensées de ma vie pour essayer d'en faire un tout, en regardant bien leurs prétendues contradictions et leurs limites, pour voir si c'était bien vrai qu'elles avaient ces limites-là, si l'on ne m'avait pas forcé à considérer telles idées comme contradictoires alors qu'elles ne l'étaient pas, si l'on avait bien interprété telle action que j'avais faite à un certain moment...

— *Et peut-être aussi pour échapper à votre propre système?*

— En effet, dans la mesure où mon système pouvait ne pas rendre compte de tout, il fallait que je me place en dehors de lui. Et comme c'est moi qui ai fait ce système, il y avait de fortes chances pour que j'y retombe; et, par conséquent, cela aurait prouvé que la vérité, pour moi, ne peut pas être conçue en dehors de ce système. Mais cela aurait pu signifier aussi que ce système reste valide à un certain niveau, même s'il n'atteint pas la vérité profonde.

La vérité reste toujours à trouver, parce qu'elle est infinie. Ce qui ne veut pas dire qu'on n'obtienne pas *des* vérités. Et je pense que si j'avais pu faire ce que je voulais tenter dans cette nouvelle qui devait rendre compte de ma vérité, j'aurais, avec de la chance, obtenu quelques vérités, et des vérités non seulement sur moi, mais sur l'époque qui me contient. Mais je n'aurais pas obtenu la vérité entière. J'aurais simplement laissé entendre qu'elle est atteignable — encore que personne ne soit capable, aujourd'hui, de l'atteindre.

— *C'est à cela que vous vous occuperiez, si vous pouviez écrire maintenant?*

— Oui, et d'une certaine façon je m'en suis toujours occupé.

— *Cependant, on sait, par les Mémoires de Simone de Beauvoir, qu'à partir de 1957, environ, vous avez travaillé avec le sentiment d'une extrême urgence. Simone de Beauvoir dit que vous meniez « une épuisante course contre la montre, contre la mort ». Il me semble que si vous ressentiez si fort une telle urgence, c'est que vous vous estimiez seul capable de dire quelque chose qui devait absolument être dit. Est-ce exact?*

— En un sens, oui. C'est à partir de ce moment que j'ai écrit la *Critique de la raison dialectique*, et c'est elle qui a mordu sur moi, qui m'a pris tout mon temps. J'y travaillais dix heures par jour, en croquant des cachets de corydrane — j'en prenais vingt par jour, à la fin —, et, en effet, je sentais qu'il fallait terminer ce livre. Les amphétamines me donnaient une rapidité de pensée et d'écriture qui était au moins le triple de mon rythme normal, et je voulais aller vite.

C'était l'époque où j'avais rompu avec les communistes à la suite de Budapest. La rupture n'était pas totale mais la liaison était rompue. Avant 1968, le mouvement communiste représentait, semblait-il, toute la gauche, de sorte que rompre avec le Parti créait une sorte d'exil. Quand on était coupé de cette gauche-là, ou bien on filait à droite, comme l'ont fait ceux qui sont allés chez les socialistes, ou bien on restait dans une sorte d'attente, et la seule chose qui restait à faire, c'était d'essayer de penser jusqu'au bout ce que les communistes refusaient qu'on pense.

Écrire la *Critique de la raison dialectique* a représenté pour moi une manière de régler mes comptes avec ma propre pensée en dehors de l'action sur la pensée qu'exerçait le parti communiste. La *Critique* est un ouvrage écrit contre les communistes, tout en étant marxiste. Je considérais que le vrai marxisme était complètement tordu, faussé par les communistes. A l'heure qu'il est, je ne penserais plus tout à fait la même chose.

— *Nous y reviendrons. Ce sentiment d'urgence que vous éprouviez ne venait-il pas aussi des premières atteintes de l'âge? En 1954, à Moscou, vous avez eu un premier accident de santé.*

— Ça a été un accident assez bénin — une crise d'hypertension — que j'ai interprété comme un inconvénient momentané dû au surmenage et à ce premier séjour en U.R.S.S. qui n'était pas agréable et qui m'avait fatigué. Je n'ai pas eu l'impression que quelque chose avait changé. Mais je l'ai eue un peu plus tard, lorsque de Gaulle a pris le pouvoir. J'écrivais *Les Séquestrés d'Altona,* et, un jour, pendant l'hiver de 1958, j'ai commencé à être très incertain.

Je me rappelle ce jour, chez Simone Berriau : j'étais en train de boire un verre de whisky, j'ai voulu le reposer sur une tablette et, tout naturellement, je l'ai fait tomber à côté; ce n'était pas une maladresse, c'était un trouble de l'équilibre. Simone Berriau s'en est aperçue tout de suite et m'a dit : « Allez voir un médecin, ça va très mal. » Et, en effet, quelques jours après, écrivant toujours les *Séquestrés,* je gribouillais plutôt que je n'écrivais : j'écrivais des phrases dépourvues de sens, sans rapport avec la pièce, et qui ont effrayé Simone de Beauvoir.

— *Vous-même, vous avez eu peur à ce moment-là?*

— Non, mais j'ai vu que j'étais abîmé. Je n'ai jamais eu peur. Mais je me suis arrêté : pendant deux mois, je crois que je n'ai rien fait. Et puis, je me suis remis à travailler. Mais ça a retardé d'un an les *Séquestrés.*

— *Il me semble que, à cette époque, vous aviez très*

fort le sentiment d'une responsabilité à l'égard de vos lecteurs, de vous-même, de ces « commandements qu'on vous a cousus sous la peau » dont vous parlez dans Les Mots : *il s'agissait, en somme, d'écrire ou de crever. A partir de quand avez-vous commencé à vous détendre, si jamais vous vous êtes détendu?*

— Ces toutes dernières années, depuis que j'ai abandonné le *Flaubert.* Pour ce livre aussi, j'ai travaillé énormément, avec de la corydrane. J'y travaillais par intermittence depuis quinze ans. J'écrivais autre chose. Puis je revenais à Flaubert. Pourtant, je ne le finirai pas. Mais je n'en suis pas tellement malheureux, car je pense que l'essentiel de ce que j'avais à dire, je l'ai dit dans les trois premiers tomes. Quelqu'un d'autre pourrait écrire le quatrième à partir des trois que j'ai écrits.

Tout de même, ce *Flaubert* inachevé me pèse comme un remords. Enfin, « remords », c'est peut-être trop fort; après tout, j'ai dû l'abandonner par la force des choses. Je *voulais* le terminer. Et, en même temps, ce quatrième tome était à la fois le plus difficile pour moi et celui qui m'intéressait le moins : l'étude du style de *Madame Bovary.* Mais, je vous dis, l'essentiel est fait, même si l'ouvrage reste en suspens.

— *Cela vaut-il pour l'ensemble de votre œuvre? On pourrait presque dire que l'une des caractéristiques principales de cette œuvre, c'est son inachèvement.. Est-ce que ça vous...*

— Si ça m'embête? Pas du tout. Parce que toutes les œuvres sont inachevées : tous les hommes qui font une œuvre littéraire ou philosophique ne la finissent pas. Que voulez-vous, il y a le temps!

— *Aujourd'hui, vous ne vous sentez plus talonné par le temps?*

— Non, parce que j'ai décidé — je dis bien : j'ai décidé — que j'avais dit tout ce que j'avais à dire. Cette décision implique que je coupe tout ce que j'aurais encore à dire, et que je ne dis pas, parce que je considère comme l'essentiel ce que j'ai écrit. Le reste, me dis-je, ça ne vaut pas la peine, ce sont de ces tentations qu'on a, comme d'écrire un roman sur tel ou tel sujet, et puis qu'on abandonne.

En vérité, ce n'est pas tout à fait exact : si je me mettais dans le véritable état d'exigence où se trouve un homme qui a des années devant lui et qui est en bonne santé, je dirais que je n'ai pas achevé, que je n'ai pas dit tout ce que je voulais dire, loin de là. Mais, ça, je ne veux pas me le dire. Si j'en ai pour dix ans de vie, c'est très bien, c'est déjà pas mal.

— *Et comment comptez-vous les occuper, ces dix ans?*

— Par des travaux comme ces émissions que je prépare, et que je considère d'ailleurs comme devant faire partie de mon œuvre. Par un livre de dialogues que j'ai commencé avec Simone de Beauvoir, qui est la suite des *Mots*, mais qui sera arrangé cette fois par thèmes, et qui ne sera pas fait avec le style des *Mots*, puisque je ne puis plus avoir de style.

— *Mais vous investissez moins dans les projets dont vous parlez.*

— J'investis moins parce que je *peux* moins investir. Parce que, à soixante-dix ans, je ne peux pas espérer que, dans les dix années qu'il me reste d'efficaces à vivre, je vais produire le roman ou l'œuvre philosophique de ma vie. On sait ce que c'est que dix ans de vie de soixante-dix ans à quatre-vingts ans...

— *Ce qui est en cause, c'est donc moins votre demi-cécité que l'âge?*

— L'âge ne se sent pour moi que par la demi-cécité — qui est un accident, j'aurais pu en avoir d'autres — et par la proximité de la mort qui, elle, est absolument indéniable. Non pas que j'y pense, je n'y pense jamais; mais je sais qu'elle va venir.

— *Vous le saviez avant!*

— Oui, mais je n'y pensais pas, vraiment non. Vous savez qu'un temps je me suis même cru immortel, jusqu'à trente ans environ. Mais, maintenant, je me sais très mortel, sans penser jamais à la mort. Simplement, je sais que je suis dans la dernière période de ma vie, donc que certaines œuvres me sont interdites. Par leur ampleur, pas par leur difficulté, car je crois que je suis à peu près au même niveau d'intelligence qu'il y a dix ans. L'important pour moi, c'est que ce qui était fait pour être fait l'a été. Bien ou mal, peu importe, mais, en tout cas, j'en ai tâté. Et puis, il reste dix ans.

— *Vous me rappelez Gide dans* Thésée : « ... J'ai fait *mon œuvre, j'ai vécu...* » Il avait soixante-quinze ans *et cette même sérénité, cette satisfaction du devoir accompli. Vous dites la même chose?*

— Exactement.

— *Dans le même esprit?*

— Il faudrait y ajouter d'autres choses. Je ne pense pas à mes lecteurs de la même façon que Gide. Je ne pense pas à l'action d'un livre de la même façon que lui. Je ne pense pas à la société qui viendra comme il y pensait. Mais, pour prendre uniquement l'individu, oui, en un sens; bon, j'ai fait ce que j'avais à faire...

— *Vous êtes content de votre vie?*

— Très. Je pense que si j'avais eu plus de chance, j'aurais pu traiter plus de choses, mieux.

— *Et aussi si vous vous étiez ménagé un peu. Parce que, enfin, vous vous êtes esquinté la santé en écrivant* la Critique de la raison dialectique.

— Pour quoi c'est fait, la santé? Il vaut mieux écrire la *Critique de la raison dialectique* — je le dis sans orgueil —, il vaut mieux écrire une chose qui est longue, serrée, importante pour soi, que d'être très bien portant.

— *Il y a quelques mois, vous m'avez dit, à la fois avec humour et un peu de mélancolie : « Je baisse, je suis un has been.* » *Avez-vous aujourd'hui le sentiment d'être méconnu?*

— Méconnu, non, si l'on entend par méconnu la façon dont certains poètes ou écrivains au xixe siècle l'ont été. Mais pas très bien connu, oui.

— *Quand vous étiez enfant, vous aviez deux ambitions : faire une œuvre et être célèbre. A partir de quel moment avez-vous su que vous aviez gagné?*

— J'ai toujours cru que je gagnerais, par conséquent je n'ai jamais eu l'impression très nette d'une réussite. Mais enfin, après la guerre, c'était gagné pour moi.

— *Autrement dit, cette notoriété plutôt lourde, qui vous est tombée dessus en 1945...*

— Très lourde...

— *Elle vous a aussi fait plaisir?*

— Figurez-vous que non, parce qu'elle était faite de tant d'insultes, et même de calomnies, qu'elle était irritante. Ce n'était pas désespérant, loin de là, puisque, par la suite, j'y ai trouvé de l'agrément. Mais, pour commencer, ça m'a été infligé de la manière la plus désagréable : la haine.

— *Ça vous affecte, la haine?*

— Non, plus maintenant. Mais, à l'époque, j'en faisais connaissance. Je venais de subir l'occupation allemande, qui n'était pas drôle, et je trouvais de la haine chez mes contemporains. Ça me faisait un curieux effet. Et puis, finalement, ça s'est arrangé très bien. Ils m'ont toujours haï; mais, ce qui était important, c'est que les jeunes avaient de bons rapports avec moi. Jusque vers 1965. Je veux dire que Mai 68 s'est fait hors de moi, je n'ai même pas vu que ça approchait. Et puis, après 1968, vers 1969, je me suis rapproché d'eux, ou de certains d'entre eux, et j'ai continué à avoir un public de jeunes. Maintenant, c'est différent, ça commence à être autre chose : il est temps de plier bagage...

— *Vous regrettez que les jeunes intellectuels ne vous lisent pas davantage, vous connaissent à travers de fausses idées de vous?...*

— Je dis que c'est dommage, pour moi.

— *Pour vous, ou pour eux?*

— A vrai dire, je trouve aussi pour eux. Mais je pense que c'est un moment.

— *Au fond, vous accepteriez volontiers la prédiction que vient de faire Roland Barthes en disant qu'on va vous redécouvrir, et que cela se fera bientôt, et tout naturellement?*

— Je l'espère.

— *Et quelle partie de votre œuvre souhaitez-vous voir reprise par la nouvelle génération?*

— Les *Situations, Saint Genet,* la *Critique de la raison dialectique* et *Le Diable et le Bon Dieu.* Les *Situations,* c'est, si vous voulez, la partie non philosophique la plus proche de la philosophie : critique et politique. Ça, j'aimerais bien que ça reste, et qu'on le lise. Et puis *La Nausée* aussi. Je considère que, du point de vue proprement littéraire, c'est ce que j'ai fait de mieux.

— *Après Mai 68, vous m'avez dit : « Si on relit tous mes livres, on se rendra compte que, profondément, je n'ai pas changé, et que je suis toujours resté anarchiste... »*

— C'est bien vrai. Et ça, on le verra dans les émissions que je prépare pour la télévision. Cependant j'ai changé en ce sens que j'étais anarchiste sans le savoir quand j'écrivais *La Nausée* : je ne me rendais pas compte que ce que j'écrivais là pouvait avoir un commentaire anarchiste, je voyais seulement le rapport à l'idée métaphysique de « nausée », à l'idée métaphysique d'existence. Ensuite, j'ai découvert par la philosophie l'être anarchiste qui est en moi. Mais je ne l'ai pas découvert sous ce terme, parce que l'anarchie aujourd'hui n'a plus rien à voir avec l'anarchie de 1890.

— *En effet, vous ne vous êtes jamais reconnu dans le mouvement anarchiste proclamé tel!*

— Jamais. Au contraire, j'en étais très loin. Mais je n'ai jamais accepté aucun pouvoir sur moi, et j'ai toujours pensé que l'anarchie, c'est-à-dire une société sans pouvoirs, doit être réalisée.

— *Vous seriez en somme le penseur d'une nouvelle anarchie, d'un socialisme libertaire. Est-ce pour cela que vous ne protestez pas tellement quand un ami vous affirme que vous serez le Marx du XXIᵉ siècle?*

— Ah, vous savez, les prophéties de ce genre! Mais enfin, pourquoi protesterais-je, puisque je souhaite qu'on me lise encore dans cent ans — quoique je n'en sois pas tellement sûr. Mais je souhaite qu'on fasse du travail en reprenant celui que j'ai fait et en le dépassant.

— *Reconnaissez malgré tout que, si vous refusez tout pouvoir, vous en avez exercé un vous-même...*

— J'ai eu un faux pouvoir : celui de professeur. Mais le pouvoir réel d'un professeur consiste par exemple à interdire de fumer en classe — je ne le faisais pas — ou à éliminer des élèves — je mettais toujours la moyenne. Je transmettais un savoir; selon moi, ce n'est pas un pouvoir, ou alors ça dépend comment on enseigne. Demandez à Bost si je pensais avoir un pouvoir sur mes élèves, et si j'en avais.

— *Vous ne pensez pas que la célébrité vous a donné un pouvoir?*

— Je ne le crois pas. Peut-être, en effet, un agent de police me demandera-t-il plus poliment mes papiers. Mais je ne vois pas qu'en dehors de ces égards j'aie du pouvoir. Je ne crois pas avoir d'autre pouvoir que celui des vérités que je dis.

— *Voulez-vous dire par là que votre pouvoir tient à l'autorité morale que vous avez acquise par vos livres?*

— Mais je n'ai pas de pouvoir! Expliquez-moi quel pouvoir j'ai! Je suis un citoyen comme un autre...

— *N'importe quel citoyen ne peut pas, par exemple, présider le Tribunal Russell...*

— En quoi est-ce un pouvoir? Un jour des gens sont venus et m'ont dit : « Il y a un tribunal qui doit se constituer sur le Viêt-nam, voulez-vous en faire partie? » J'ai dit oui. « Acceptez-vous d'en être le président? — Si vous jugez que c'est utile, d'accord. » Voilà comment ça s'est passé. Après ça, on m'a appelé président quand je me suis trouvé en Suède puis au Danemark pour participer aux travaux de ce tribunal. Mais je n'avais pas plus de pouvoir que n'importe quel délégué qui se trouvait là.

— *Pour le gouvernement américain, même s'il n'a pas tremblé devant le Tribunal Russell, celui-ci représentait une force qu'il ne pouvait totalement négliger, dans la mesure où votre crédit moral et celui des autres membres du tribunal donnaient du poids à vos accusations, et qu'il pouvait par là agir sur l'opinion mondiale.*

— C'est ce que nous espérions. Mais, pour autant que je puisse en juger d'après les contacts que j'ai eus avec des Américains, j'ai l'impression que le Tribunal Russell n'a fait ni chaud ni froid au gouvernement des États-Unis. Quant à l'opinion mondiale, je ne sais pas trop ce que c'est... Nous espérions que les conclusions du tribunal seraient reprises à leur compte par les peuples, qu'elles ne resteraient pas seulement les conclusions d'un certain nombre de personnes qui se référaient à la légalité internationale établie par le tribunal de Nuremberg, et ça, on ne peut pas dire que ça se soit produit. Donc, vous voyez, mon pouvoir en cette affaire, je ne vois pas où il est...

— *Au fond, vous avez du mal à mesurer votre propre notoriété...*

— Je n'en sais rien. A l'heure qu'il est, je ne sais plus
très bien si ce que je dis compte encore, ou si les autres
courants littéraires et philosophiques qui occupent le
monde intellectuel ne m'ont pas masqué ou caché
complètement.

— *Il se peut que Deleuze ou Foucault soient plus lus
aujourd'hui que vous par les jeunes intellectuels français. Reste qu'ils sont beaucoup moins célèbres que
vous, et certainement moins lus à l'étranger. Quand
vous avez voulu rencontrer Baader dans sa prison allemande, on vous en a donné l'autorisation. Pourquoi?
Parce que vous êtes une vedette. Une partie de la presse
allemande vous a insulté. Pourquoi? Parce qu'elle crai-
gnait votre audience...*

— En l'occurrence, il n'y a pas eu d'autre répercussion
que précisément cette fureur sacrée de la presse et de
gens qui m'ont écrit. Autrement dit, je pense que cette
visite à Baader a été un échec. L'opinion allemande n'a
pas été modifiée. Ça l'aurait même plutôt braquée
contre la cause que je prétendais soutenir.

J'ai eu beau dire, au début de ma conférence de
presse, que je ne prenais pas en considération les actes
reprochés à Baader, mais que je ne considérais que les
conditions de sa détention, les journalistes ont jugé
que je soutenais l'action politique de Baader. Je crois
donc que ça a été un échec, ce qui n'empêche pas que, si
c'était à refaire, je le referais.

— *Que vous le vouliez ou non, Sartre, vous n'êtes pas
n'importe qui... Des gens ont été choqués par la phrase
finale des* Mots : « Si je range l'impossible salut au
magasin des accessoires, que reste-t-il? Tout un
homme, fait de tous les hommes et qui les vaut tous
et que vaut n'importe qui. » *D'après eux, pour revendiquer d'être n'importe qui, il faut déjà ne plus
l'être.*

— C'est une erreur monumentale. Demandez, au

hasard, à un type dans la rue ce qu'il est : il est un homme, tout un homme et rien d'autre, comme tout le monde.

— *Il est probablement plongé dans un anonymat total et dans une vie qui lui fait horreur : il est un simple numéro dans une série! La hantise de beaucoup de gens c'est précisément cet anonymat et ils seraient prêts à n'importe quoi pour n'être plus n'importe qui...*

— Mais être n'importe qui, ce n'est pas être anonyme! C'est être soi, pleinement soi, dans son village, dans son usine ou dans sa grande ville, et avoir des rapports avec les autres au même titre que n'importe qui... Pourquoi faudrait-il que l'individu ce soit l'anonyme?

— *Vous-même, Sartre, vous avez souhaité être célèbre!*

— Je ne sais pas si je le souhaite encore. Je le souhaitais avant la guerre de 1939, je l'ai bien souhaité aussi après, pendant les quelques années où l'on m'a bien gâté, comme vous savez. Mais maintenant...

— *C'est bien ce que je dis : maintenant vous l'êtes...*

— Je le suis, mais je ne le sens pas : je suis là, je cause avec vous. Bon, ça paraîtra dans l'*Observateur*, mais, dans le fond, je m'en fous un peu...

— *Si vous avez souhaité être célèbre, c'est d'une certaine manière pour exister. Un de mes amis disait l'autre jour : « Le nouveau cogito, c'est : on parle de moi dans le journal, donc je suis. »*

— Quelqu'un qui veut être célèbre, ce n'est pas ça qu'il veut : il veut *tout*. Il veut être gardé dans la mémoire des hommes indépendamment des follicules qui le perpétuent. Il aura des lecteurs, mais parce que les hommes gardent mémoire de lui, et non l'inverse. Jamais je n'ai pensé aux journaux ou à n'importe quel écrit sur moi comme devant m'immortaliser et me satisfaire. C'était le rôle que j'assignais à mon œuvre, avant même d'en

avoir écrit la première ligne : elle devait m'immortaliser, parce qu'elle était moi. Et il n'y avait que moi à
pouvoir m'occuper de moi-même. Les autres peuvent en
tirer des profits mélangés. Mais pour savoir qui je suis
vraiment, ce que je suis et ce que je vaux, il faudrait un
psychanalyste parfait qui n'existe pas.

— *Vous-même avez expliqué dans* Les Mots *que votre
désir de gloire était un effet de la crainte de la mort et
aussi du sentiment de votre contingence, de la gratuité
injustifiable de votre existence.*

— Exactement. Et, une fois qu'on l'a, ça n'y change
rien : on est toujours aussi injustifié. Et puis, comme
vous savez, cette idée de gloire, elle n'est pas venue
spontanément : je l'ai trouvée dans les livres. Vous êtes
un garçon comme les autres et vous voulez être un peu
mieux que les autres : ça n'implique pas une gloire. La
gloire est une idée intérieure à la littérature : un garçon
qui entrait en littérature vers 1910 trouvait dans les
livres toute une idéologie littéraire datant du siècle dernier et qui constituait un ensemble d'impératifs, ce que
j'ai appelé la « littérature à faire ». Vous trouviez donc
des gens comme Flaubert pour qui littérature et mort,
gloire et immortalité, c'est la même chose. Alors j'ai
attrapé ça comme ça. Et il m'a fallu bien longtemps pour
m'en débarrasser.

— *Et vous ne pensez pas que dans une société qui ne
légitime pas ses membres au départ — comme c'était
le cas dans la société théocratique ou dans la société
féodale — le désir de gloire personnelle est un peu le
désir de tous?*

— Un individu est légitimé par la société s'il le veut.
En fait, il n'est légitimé par rien, mais la plupart des
gens ne le voient pas. Une mère est légitimée par ses
enfants, une fille par sa mère, etc. Ils se débrouillent
entre eux...

— *Sans doute. Mais n'est-ce pas parce que dans votre*

enfance vous ne vous sentiez aucune sorte de légitima-
tion que vous avez désiré si fort être glorieux et que, du
même coup, vous l'êtes devenu?

— Ça, je le pense. Je pense que l'on devient célèbre
si on le veut, non pas par des dons ou des disposi-
tions innées. Mais qu'est-ce que vous concluez de tout
ça?

— *Je pense que vous avez de la peine à réaliser ce que*
vous êtes pour les autres. C'est Claude Roy, je crois, qui
disait : « Sartre ne sait pas qu'il est Sartre. »

— Je ne le sais pas du tout. Mais je pense que vous
ne le savez pas non plus.

— *Je sais ce que vous êtes pour moi.*

— Oui, mais justement : vous, vous êtes un des
intimes qui ne me voient pas comme un personnage.
Mais les gens qui ne me connaissent pas, comment
saurais-je ce que je suis pour eux? Je ne produis de moi
aucune image saisissable, saisissable par moi. Il y a
en effet des gens qui disent après m'avoir vu : « Oh!
ben, il n'est pas intimidant. » Donc, ils s'attendaient
que je le sois. Il y en a d'autres qui me disent : « J'ai
bien aimé vos livres. » Mais tout cela ne me donne pas
une stature extérieure, ça représente des rapports avec
moi, c'est tout.

— *Mais, en même temps, vous vous rencontrez cons-*
tamment dans le journal, bientôt à la télévision, ou dans
les ouvrages qu'on vous consacre. Vous savez bien que
vous êtes plus répandu dans le public que la plupart
des gens.

— Oui, ça, je m'en doute. Encore qu'à présent je ne
sais plus. Depuis quelques années, je ne sais plus.

— *Vous dites cela avec regret?*

— Non, je vous dirai que je m'en fous. Parce que je
voulais écrire sur le monde et sur moi, c'est ce que j'ai
fait. Je voulais être lu, c'est ce qui est arrivé. Quand on
est beaucoup lu, on parle de célébrité. Bon, d'accord, je

l'ai... Ça, c'est toute la vie dont j'ai rêvé étant gosse; d'une certaine façon, je l'ai eue. Mais ça représentait autre chose, je ne sais pas trop quoi. Et ça, je ne l'ai pas...

— *On dit que vous avez le génie de la publicité...*

— Je crois que c'est faux. Je n'ai jamais rien fait pour chercher la publicité.

— *Vous faites scandale.*

— Oh! plus maintenant.

— *La preuve : tout récemment encore, avec cette visite à Baader.*

— Les journaux ont dit que j'étais gâteux. Même s'il ne s'agissait que de me disqualifier, on ne le disait pas jusqu'à présent. C'est l'âge qui veut ça. Voyez, on revient toujours au même sujet.

— *Encore que, dans tout ce que nous venons de dire, l'âge n'était pas tellement présent. A partir de quand est-ce que vous vous êtes senti vieillir?*

— C'est compliqué, parce que, d'une certaine façon, le fait d'avoir perdu l'usage réel de la vue, de ne pouvoir marcher qu'un kilomètre, etc., c'est le vieillissement. Car, effectivement, ce sont des maux qui n'en sont pas, avec lesquels je peux vivre, mais qui viennent de ce que je suis au bout de la route. Donc ça, c'est vrai. Mais, d'un autre côté, je n'y pense pas tellement. Je me vois moi, je me sens, je travaille comme quelqu'un qui a quarante-cinq, cinquante ans. Je n'ai pas le sentiment de la vieillesse. Pourtant, à soixante-dix ans, on est un homme vieux.

— *Vous pensez que c'est comme ça pour la plupart des hommes de votre âge?*

— Je n'en sais rien. Ça, je ne peux pas vous le dire. Je n'aime pas les gens qui ont mon âge. Tous les gens que je connais sont beaucoup plus jeunes que moi. C'est avec eux que je m'entends le mieux : ils ont les mêmes besoins, les mêmes ignorances, les mêmes savoirs que moi. Les gens que je vois le plus, presque tous les matins, actuellement, c'est Pierre Victor et Philippe Gavi. Ils ont trente ans. Et avec vous, je suis absolument comme avec quelqu'un qui aurait le même âge. Je sais que vous êtes beaucoup plus jeune que moi, mais je ne le sens pas.

— *Mais qu'est-ce qui vous dérange chez les gens qui ont votre âge?*

— Ils sont âgés! Ils sont emmerdants.

— *Je ne vous trouve pas emmerdant...*

— Oui, mais moi, je ne suis pas comme les gens âgés. Les gens âgés, ils reviennent sur leurs idées, ils ont des idées fixes, ils se sentent dérangés par ce qu'on écrit aujourd'hui... Oh, ils sont emmerdants! C'est la punition, ça, l'âge, dans la plupart des cas. Et puis, ils perdent ce qu'il y avait de frais en eux. Ça m'est très désagréable de rencontrer des vieux que j'ai connus jeunes. Les gens les plus âgés avec lesquels je puisse m'entretenir, ce sont les gars des *Temps modernes*, qui ont quinze ou vingt ans de moins que moi. Là, ça va encore. Mais le contact normal, c'est avec des gens de trente ans que je l'ai.

— *Et ce sont eux qui le recherchent, ce contact?*

— Ce n'est pas moi en tout cas.

— *C'est d'ailleurs une des choses qui peuvent étonner chez vous : vous ne prenez jamais l'initiative d'une rencontre?*

— Jamais. Je n'ai pas la curiosité des gens.

— *Pourtant, vous avez écrit une fois : « J'ai la passion de comprendre les hommes. »*

— Oui. Une fois que j'ai un homme devant moi, j'ai la passion de le comprendre, mais je n'irai pas me déplacer pour le voir.

— *C'est une attitude de solitaire.*

— Solitaire, oui. Remarquez que je suis entouré de gens, mais ce sont des femmes. Il y a plusieurs femmes dans ma vie, Simone de Beauvoir étant l'unique, d'une certaine façon, mais enfin il y en a plusieurs.

— *Ça doit vous prendre un temps considérable. Et ça vous en prenait déjà beaucoup quand tout ce que vous souhaitiez, au fond, c'était écrire. Vous m'avez dit une fois : « La seule chose que j'aime faire vraiment, c'est être à ma table et écrire, de la philosophie de préférence. »*

— Oui, c'est ça que j'ai aimé vraiment. Et on m'a toujours retenu un peu loin de ma table : il fallait briser pour y revenir.

— *Mais vous n'aimez pas être seul quand vous ne travaillez pas?*

— J'aime bien être seul dans certains cas. Avant la guerre, j'aimais bien, certains soirs où le Castor[1] n'était pas libre, aller dîner seul au *Balzar,* par exemple : je sentais ma solitude.

— *Ça, ça ne vous est pas arrivé souvent depuis la fin de la guerre...*

— Je me rappelle, il y a trois ou quatre ans, j'ai eu une soirée à passer tout seul, et je m'en réjouissais. C'était chez une amie qui n'était pas là. J'ai bu. J'étais ivre mort. Je suis rentré chez moi à pied et Puig, mon secrétaire, qui était venu voir si tout allait bien, me suivait de loin. Et puis, je suis tombé, il m'a ramassé, soutenu et ramené chez moi. Voilà ce que j'avais fait de ma solitude. Aussi, quand je dis à Simone de Beauvoir que j'aime bien être seul mais qu'on m'en empêche, elle dit toujours : « Vous me faites rire. »

— *Comment vivez-vous aujourd'hui?*

— Ma vie est devenue très simple, étant donné que je ne peux pas beaucoup me déplacer. Je me lève à huit heures et demie le matin. Souvent, je dors chez Simone de Beauvoir, et je rentre chez moi après avoir pris le

---

1. Simone de Beauvoir.

petit déjeuner dans un café qui est sur la route. Je me sens chez moi à Montparnasse. Avant la guerre, j'ai vécu longtemps dans un petit hôtel meublé, l'hôtel *Mistral,* qui existe toujours, rue Cels, entre le cimetière Montparnasse et l'avenue du Maine, et puis aussi dans un hôtel de la rue de la Gaîté.

Quand j'ai quitté Saint-Germain-des-Prés, après le plasticage de mon appartement du 42 rue Bonaparte, j'ai vécu douze ans au 222 boulevard Raspail. Maintenant j'habite près de la nouvelle tour. Presque tous mes proches habitent Montparnasse, et je connais un peu les gens du quartier, les garçons de café, la vendeuse de journaux, quelques commerçants.

— *Vous êtes un peu une « figure de Montparnasse »...*

— Oh non. Quelquefois, j'entends sur ma route : « Tiens, voilà Jean-Paul Sartre. » Mais ce ne sont sûrement pas des gens du quartier, ils ont trop l'habitude de me voir. A *La Coupole,* il y avait trop souvent des gens qui venaient me demander des autographes ou me poser toutes sortes de questions; c'est à cause de cela que je n'y vais plus. Quand je suis au café, j'aime bien qu'on me laisse tranquille...

— *Et cette espèce de petite rumeur que crée votre arrivée dans un lieu public, ça ne vous gêne pas?*

— Non, je n'y prends pas garde. Mais je connais des gens que ça écœure particulièrement quand ils m'accompagnent. Remarquez que ce n'est pas forcément hostile, ça correspond le plus souvent à une remarque indifférente, du genre « tiens, voilà Un tel ».

— *Et les marques d'amitié de la part d'inconnus vous font-elles plaisir?*

— C'est très rare que j'en reçoive. Il y a des gens qui me disent qu'ils m'aiment bien : je ne suis pas obligé de les croire.

— *Mais cette vie de café, vous y tenez?*

— Oui, c'est ma vie, j'ai toujours vécu comme ça. Ce

n'est pas exactement une vie de café : je déjeune, tard,
vers deux heures, et je reste jusqu'à quatre heures au
café. De temps en temps, mais rarement, je dîne avec
Simone de Beauvoir le soir dans un restaurant. Il lui
arrive d'en découvrir un qu'elle veut me faire essayer;
je n'en aurais pas la curiosité par moi-même.

— *Actuellement, est-ce que vous rencontrez beaucoup
de monde?*

— Toujours les mêmes, mais très peu. Surtout des
femmes, celles qui sont très près de moi dans la vie. Et
puis trois ou quatre hommes, régulièrement : les gars
des *Temps modernes,* une fois tous les quinze jours, le
mercredi.

— *A quoi tient cette régularité dans vos habitudes?
Chaque semaine se répète comme la précédente, chacune des personnes que vous voyez a son jour, son
heure, toujours les mêmes...*

— Je pense que cela tient à ce qu'il faut des habitudes
régulières pour écrire de façon productive. Je n'ai pas
écrit trois romans dans ma vie, j'ai écrit beaucoup,
beaucoup de pages. On ne peut pas écrire une œuvre un
peu abondante sans discipline de travail. Cela dit, j'ai
écrit partout. Par exemple, j'ai écrit des pages de
L'Être et le Néant sur une petite cime des Pyrénées, quand nous voyagions à bicyclette avec Simone
de Beauvoir et Bost. J'étais arrivé le premier, je me
suis assis par terre, sous des rochers, et j'ai commencé
à écrire. Puis les autres m'ont rejoint, ils se sont assis
à côté de moi, et je continuais à écrire.

Évidemment, j'ai écrit beaucoup au café. Par
exemple, une grande partie du *Sursis* et de *L'Être et le
Néant* a été écrite à *La Coupole,* aux *Trois Mousque-
taires,* avenue du Maine, et puis ensuite au *Flore.* Mais
à partir de 1945-1946, quand j'ai habité chez ma mère
au 42 rue Bonaparte, et puis, après 1962, boulevard
Raspail, j'ai presque toujours écrit dans mon bureau.

Mais j'écrivais aussi quand j'étais en voyage, et j'en ai fait beaucoup, de voyages...

Donc, ces habitudes dont vous parlez, elles datent du temps où j'organisais ma vie en fonction de mes heures de travail : de neuf heures et demie ou dix heures à une heure et demie, et ensuite de cinq ou six heures à neuf heures. C'est ainsi que j'ai travaillé toute ma vie. A l'heure qu'il est, ce sont un peu des heures vides. Mais je les conserve, j'ai les mêmes horaires. Par exemple, en ce moment, je rejoins chez moi, vers dix heures et demie onze heures, mes camarades qui font les émissions avec Simone de Beauvoir et moi, et nous travaillons tous les matins jusqu'à une heure et demie deux heures. Et puis je vais déjeuner dans une des brasseries du quartier, et je rentre chez moi vers quatre heures et demie.

En général, Simone de Beauvoir est là, nous causons un moment, et puis elle me lit soit les ouvrages dont nous avons besoin pour les émissions, soit un livre quelconque, soit Le Monde ou Libération, ou d'autres journaux. Ça nous mène jusque vers huit heures et demie neuf heures et là, la plupart du temps, nous retournons ensemble dans son studio près du cimetière Montparnasse, et je passe la soirée avec elle, presque toujours à écouter de la musique, ou parfois elle continue sa lecture, et je me couche toujours à peu près à la même heure, vers minuit et demie.

— La musique tient une grande place dans votre vie. Peu de gens le savent...

— La musique a beaucoup compté pour moi, à la fois comme une distraction et comme un élément principal de la culture. Tout le monde était musicien dans ma famille : mon grand-père jouait du piano et de l'orgue, ma grand-mère assez bien du piano, ma mère en jouait bien et elle chantait. Mes deux oncles — surtout mon oncle Georges, dont la femme était aussi très musicienne — étaient d'excellents pianistes, et vous savez qu'à l'orgue le cousin Albert n'était pas mauvais non plus... Bref, chez les Schweitzer, tout le monde jouait, et j'ai vécu toute mon enfance dans une atmosphère musicale.

Vers l'âge de huit ou neuf ans, on m'a donné des leçons de piano. Et puis, je n'en ai plus fait, jusqu'à douze ans, à La Rochelle. Là, dans la maison où je vivais avec ma mère et mon beau-père, il y avait un grand salon où l'on n'entrait que pour les réceptions et où trônait un piano à queue. Alors j'ai réappris tout seul en jouant d'abord des partitions d'opérette, et puis du quatre mains que je jouais avec ma mère, du Mendelssohn par exemple. Et, petit à petit, des choses plus difficiles, du Beethoven, du Schumann, plus tard du Bach, avec un doigté peu correct mais enfin en arrivant à jouer à peu près dans le tempo, sans vraiment de précision, mais en respectant en gros la mesure.

Je suis arrivé finalement à jouer des choses assez difficiles, comme du Chopin ou des sonates de Beethoven, sauf les toutes dernières qui sont très difficiles; là, je n'en jouais qu'une partie. Et je jouais Schumann, Mozart, et aussi des airs d'opéras ou d'opérettes que je chantais; j'avais une voix de baryton, mais je n'ai jamais travaillé le chant. Ni d'ailleurs, à proprement parler, le piano : jamais je n'ai fait d'exercices de vélocité; mais, à force de jouer les mêmes morceaux, j'arrivais à les jouer de façon à peu près audible. J'ai même donné des leçons de piano quand j'avais vingt-deux ans, à l'École normale.

Finalement, c'était devenu important pour moi de jouer. Par exemple, l'après-midi, au 42 rue Bonaparte, Simone de Beauvoir venait travailler chez moi, et elle commençait à lire ou à écrire avant moi, et moi j'allais me mettre au piano, souvent pendant deux heures. Je jouais pour mon plaisir, soit une partition nouvelle que je déchiffrais, soit pour la énième fois un prélude ou une fugue de Bach, une sonate de Beethoven.

— *Vous est-il arrivé de jouer pour des amis?*

— Non, personne ne me l'a jamais demandé. Plus tard, j'ai joué avec ma fille adoptive, Arlette; elle chantait ou jouait de la flûte, et je l'accompagnais. Nous l'avons fait pendant plusieurs années, et puis, ma foi, à l'heure qu'il est, je ne peux évidemment plus jouer. Je me suis d'ailleurs arrêté un peu avant cet accident à l'œil, à cause de mes mains qui avaient perdu de leur agilité et que j'avais du mal à coordonner. Alors, maintenant, j'écoute plus de musique qu'avant. Je peux dire que j'ai une bonne culture musicale, allant de la musique baroque jusqu'à l'atonalisme.

Presque tous les soirs, chez Simone de Beauvoir, nous écoutons des disques, toute sorte d'œuvres, et parfois, dans la journée, j'écoute France-Musique. Jamais avant, quand j'écrivais, je ne le faisais avec la radio, comme font, paraît-il, certains écrivains. Mais aujourd'hui que je travaille moins, j'aime bien écouter les programmes de France-Musique, qui ne sont pas trop mal dans l'ensemble.

— *Quels sont vos compositeurs de prédilection?*

— Je dirais Beethoven, qui est pour moi le plus grand musicien, Chopin, Schumann et, dans la musique moderne, les trois plus célèbres atonalistes, c'est-à-dire Schoenberg, Berg et Webern, que j'aime tous les trois beaucoup, surtout Webern d'ailleurs, et Berg aussi, comme le *Concerto à la mémoire d'un ange* et, évidemment, *Wozzeck*. Schoenberg, je l'aime un peu moins parce qu'il est trop professeur. Et il y a un musicien que j'aime beaucoup, c'est Bartok. Je l'ai découvert en Amérique, en 1945, quand j'étais à New York. Je ne le connaissais pas du tout avant. Bartok a été, et est encore, une de mes grandes sympathies en musique.

Et puis j'aime aussi beaucoup Boulez; il n'a pas de

génie mais il a un grand talent. Comme vous voyez, mes goûts sont éclectiques. J'aime aussi beaucoup la musique ancienne : Monteverdi, Gesualdo, les opéras de l'époque. En général, j'aime bien l'opéra, d'ailleurs.

Donc, vous voyez, la musique, avant mes accidents physiques, occupait bien quatre heures de ma journée, et maintenant, même davantage. Évidemment, si j'avais eu le choix entre perdre l'ouïe et perdre la vue, j'aurais préféré perdre l'ouïe, mais ça m'aurait beaucoup gêné, à cause de la musique précisément.

— *Vous n'avez jamais composé?*

— Si, j'ai même composé une sonate, qui est écrite. Je crois que Castor l'a encore. Ça devait ressembler un peu à du Debussy, je ne me rappelle plus très bien. J'aime beaucoup Debussy, Ravel aussi.

— *Et vous n'avez aucune bête noire en musique?*

— Je n'ai pas vraiment de bêtes noires. Schubert, si vous voulez, surtout les lieder. Il n'y a pas de comparaison avec les lieder de Schumann, par exemple. Ceux de Schubert sont frustes et bassement mélodiques. Prenez la mélodie d'un lied de Schumann, et comparez!

— *Et le jazz, l'aimez-vous encore?*

— Je l'ai beaucoup aimé. Mais je ne peux pas considérer que ce soit une musique que je connaisse vraiment. Je vois par exemple la culture de quelqu'un comme Michelle Vian, la femme de Boris, qui, lui, en jouait : eh bien, elle, elle peut parler du jazz. Moi, j'en suis incapable. J'écoutais beaucoup de jazz avant la guerre, du bon jazz d'ailleurs, mais enfin j'écoutais ce qui me tombait sous la main. Et nous en écoutons encore parfois, avec Simone de Beauvoir : par exemple Thelonious Monk, que j'aime beaucoup actuellement, et Charlie Parker, Charlie Mingus... Parker, je l'ai rencontré à Paris, en 1949; il m'a expliqué que, s'il avait le temps, il voulait venir étudier au Conservatoire de Paris. Si j'entends du jazz à la radio, la plupart du

temps je ne peux pas reconnaître les musiciens qui
jouent, sauf peut-être Parker et à la rigueur Duke
Ellington; et Monk, bien sûr, on l'identifie aux premiers accords... Mais c'est à peu près tout. Pourtant je
considère qu'une véritable culture musicale doit. aller
de la musique ancienne à la plus contemporaine et qu'il
faut y faire entrer le jazz, évidemment.

— *Pas la pop music?*

— Alors, là, franchement, je n'y connais rien. Il m'est
arrivé d'en entendre et je ne peux pas dire que ça me
déplaise, mais j'ai un peu l'impression que chaque
musicien joue sans trop se préoccuper de ce que font les
autres. Je connais quelqu'un qui en fait, c'est Patrick
Vian, le fils de Michelle et Boris, et j'ai trouvé très bon
un de ses disques. Mais, je vous dis — vous m'interrogez
sur le jazz parce que vous en jouez vous-même —, la
musique qui compte vraiment pour moi, c'est la musique
classique.

Cela dit, c'est en effet curieux que je n'aie pas parlé
de musique dans mes livres. Je pense que c'est parce
que je n'avais pas grand-chose à en dire que l'on ne
sache déjà. Il y a bien cette préface que j'ai écrite
autrefois pour le livre de René Leibowitz — un des rares
musiciens que je connaissais un peu personnellement —,
mais j'y parlais moins de musique que du problème de
la signification en musique, et ce n'est certainement pas
un de mes meilleurs textes.

— *Et puis, il y a, dans* La Nausée, *le passage fameux
qui pouvait laisser croire que vous détestiez la grande
musique :* « *Et les salles de concert regorgent d'humi-
liés, d'offensés* [...]. *Ils croient que la beauté leur est
compatissante. Les cons.* »

— C'est vrai, je n'ai jamais considéré que la musique
était tellement faite pour être écoutée au concert. La
musique, il faut l'écouter seul, à la radio ou en disque,
ou jouée par trois ou quatre amis. Écouter de la

musique entouré de tas de gens qu'on ne connaît pas et qui en écoutent comme vous, ça n'a pas de sens. La musique est faite pour être écoutée par chacun individuellement. A la rigueur, on peut admettre le concert pour la musique symphonique — bien que, elle aussi, soit faite pour être écoutée seul — mais pour la musique de chambre, pour la musique intime, c'est absurde.

— *Et vous préférez la musique intime?*

— Je pense que personne n'a su vraiment faire de symphonies, c'est trop difficile.

— *Même Beethoven?*

— Même Beethoven. Encore que, à la rigueur, la Neuvième soit presque une belle symphonie.

— *Votre refus du concert, n'est-ce pas, au fond, un refus des cérémonies et des mondanités?*

— Il y a peut-être de ça. En tout cas, à part mes amis proprement dits — qui m'invitent rarement —, je ne vais jamais chez les gens. J'ai toujours détesté ça, les dîners priés avec des inconnus : on n'y mange pas, on est mangé.

— *Il y a eu pourtant une période où vous aimiez bien rencontrer des gens nouveaux?*

— Oui, par exemple, après la guerre, j'ai rencontré Hemingway, Dos Passos. Je rencontrais des écrivains comme Salacrou, Leiris, Queneau, Cocteau. Oui, j'avais les relations que tout écrivain entretient avec les écrivains de son époque. Ça n'a d'ailleurs commencé qu'à partir de 1942 ou 1943. Tous les écrivains que je voyais étaient contre les nazis et résistaient d'une manière ou d'une autre. Après la guerre, j'ai rencontré des écrivains américains, italiens, quelques anglais. Et puis, il y avait ceux qui passaient en France et demandaient à me voir : entre 1945 et 1948, beaucoup de gens voulaient me rencontrer.

— *Et pourquoi ces relations littéraires, qui étaient souvent très amicales, se sont-elles distendues?*

— C'est venu d'eux, c'est venu de moi. Avec les écrivains étrangers, il y avait tout simplement la distance des pays, et le fait que j'écris très peu de lettres : je n'ai jamais eu de correspondance avec les écrivains. Alors nous nous voyions de temps en temps, quand ils venaient à Paris. Avec les écrivains français, c'est différent, il y en a que j'ai perdus de vue, sans qu'il y ait eu la moindre brouille, mais parce que nos occupations et nos préoccupations devenaient trop différentes — vous savez comment ça se passe.

D'autres avec qui, malgré nos différences, je continuais d'avoir d'excellentes relations. Par exemple, j'aimais bien Cocteau, que j'avais connu en 1944, et que j'ai vu souvent, jusqu'à la fin : j'ai dîné avec lui quelques jours avant sa mort. Je le trouvais très sympathique, et beaucoup moins clown qu'il ne l'est dans la vie qu'on lui attribue maintenant.

C'est lui surtout qui parlait. Il parlait de sa manière de voir le monde, de ses idées — que je ne suivais jamais qu'un tout petit peu, parce qu'il était très superficiel, selon moi. Il était très brillant causeur, il avait de la sensibilité, mais peu d'idées. Ce qui ne veut pas dire que je ne le tienne pas pour un poète de grande valeur.

— *Au fond, pendant toute cette période, vous avez fait partie de ce qu'on appelle le Tout-Paris.*

— Je ne faisais pas vraiment partie du Tout-Paris. C'est plutôt le théâtre qui m'a amené à rencontrer des gens que je n'aurais jamais connus sans ça. Ainsi, j'ai rencontré Colette chez Simone Berriau, dont j'étais un familier, parce que toutes mes pièces, sauf *Les Séquestrés d'Altona*, ont été montées dans son théâtre. Elle connaissait énormément de monde et recevait agréablement.

J'aimais bien Yves Mirande, qui vivait avec elle à cette épcque, et qui m'amusait. Il avait de la sensibilité, il était drôle : je me rappelle un jour où j'avais fait la lecture à Jouvet du *Diable et le Bon Dieu* dont, d'une part, je n'avais écrit que le premier acte et que, d'autre part, Jouvet avait demandé la permission à son confesseur de mettre en scène. Alors Jouvet m'avait écouté lire ce premier acte dans le salon de Simone Berriau. Mirande était à côté de lui.

Jouvet ne disait pas un mot, il écoutait ma lecture avec les sourcils froncés, l'air batailleur, et quand j'eus fini, après un long silence, Mirande a dit : « Tu as des mots au vitriol. » Ça a été le seul commentaire, parce que là-dessus Jouvet s'est levé et s'est excusé : il partait le lendemain pour l'Amérique. Ce pauvre Mirande, qui cherchait un compliment, et qui n'avait trouvé que ce cliché de la vieille époque!

Ce genre de choses — toujours liées au théâtre — c'était ma seule concession au Tout-Paris. Sinon, je recevais, toujours à la même heure, après le travail du matin, vers une heure, des gens qui voulaient me voir, qui voulaient me montrer un livre qu'ils avaient écrit, me demander mon avis sur telle ou telle chose...

— *Aujourd'hui encore, vous recevez des jeunes qui travaillent sur l'une ou l'autre de vos œuvres.*

— Oui, je les reçois toujours. L'autre jour j'ai vu des lycéens, des amis de Puig, qui avaient une dissertation à faire sur *La Putain respectueuse*, et qui voulaient que je leur expose un peu mes idées au sujet de cette pièce.

— *Mais il y a eu une époque où ça semblait vous amuser de rencontrer des célébrités?*

— En fait, ce n'est jamais moi qui demandais à les voir. Ils m'écrivaient, ou entraient en contact avec moi par Cau, et je disais oui ou non. C'est comme ça, par exemple, que j'ai rencontré un acteur que j'aimais beaucoup, Erich von Stroheim. Je l'ai vu plusieurs fois. Mais les conversations qu'on peut avoir avec des gens comme ça, même quand elles sont un peu sincères, ont toujours quelque chose d'apprêté. Si on rencontre un

homme qui *devient* célèbre, c'est plus intéressant, on
voit par quelles étapes, par quels degrés il passe. On
peut saisir sa transformation et son être. Mais si on voit
un monsieur qui est déjà Monsieur Chaplin ou Monsieur
von Stroheim, on ne voit que ce qu'il a l'habitude de
laisser filtrer, et le personnage est là en permanence.
Ce n'est pas qu'il le joue : il est pris par lui.

— *Et du même coup, vous êtes pris vous-même par
votre propre personnage?*

— Non, parce que je n'ai pas tellement de personnage.
Je sais bien qu'il existe une image de moi mais, précisément, c'est celle des autres, pas la mienne. Je ne sais
quelle est la mienne : je ne pense pas grand-chose sur
moi, sur moi en tant qu'individu. Quand je pense
réflexivement, c'est plutôt des idées valables pour tous.

Je me suis intéressé à moi-même vers dix-neuf ans et
puis, après, c'était beaucoup plus des généralités que
je cherchais, quand je m'observais pour écrire *L'Imaginaire* et que je fouillais dans ma conscience. Quant aux
Mots, il s'agissait de comprendre mon enfance, un moi
passé, pour saisir comment j'étais devenu ce que j'étais
au moment où j'écrivais. Mais il aurait fallu beaucoup
d'autres livres pour expliquer où j'en suis. C'est ce que
je fais actuellement, quand j'en ai le temps, avec
Simone de Beauvoir, pour ce volume autobiographique.

J'essaie d'expliquer comment les choses ont changé,
comment certains événements ont agi sur moi. Je ne
crois pas que l'histoire d'un homme soit inscrite dans
son enfance. Je pense qu'il y a des époques très importantes aussi où les choses s'insèrent : l'adolescence, la
jeunesse, et même l'âge mûr. Ce que je vois de plus net
dans ma vie, c'est une coupure qui fait qu'il y a deux
moments presque complètement séparés, au point que,
étant dans le second, je ne me reconnais plus très bien
dans le premier, c'est-à-dire avant la guerre et après.

Voyez-vous, jusqu'à présent, dans cette conversation,

nous avons surtout parlé de ma vie privée comme si elle
était séparée du reste, c'est-à-dire de mes idées, des
livres que j'ai publiés, des thèses politiques que j'ai
soutenues, des actions que j'ai faites, bref, de ce qu'on
pourrait en somme appeler ma vie publique. Pourtant nous savons bien que cette distinction entre vie
privée et vie publique n'existe pas en fait, qu'elle est
une pure illusion, une mystification. C'est pourquoi je
ne peux pas revendiquer d'avoir une vie privée, c'est-
à-dire une vie cachée, secrète, et c'est pourquoi aussi
je réponds volontiers à vos questions. Cependant, il y
a dans cette vie qu'on appelle « privée » des contradictions qui tiennent à l'état présent des relations entre
les gens et qui, comme je vous l'ai dit, nous contraignent
encore dans une certaine mesure au secret et même au
mensonge. Mais l'existence de quelqu'un forme un tout
qui ne peut pas être divisé : le dedans et le dehors, le
subjectif et l'objectif, le personnel et le politique reten-
tissent nécessairement l'un sur l'autre car ils sont les
aspects d'une même totalité et on ne peut comprendre un
individu, quel qu'il soit, qu'en le voyant comme un
être social. Tout homme est politique. Mais ça, je ne l'ai
découvert pour moi-même qu'avec la guerre, et je ne
l'ai vraiment compris qu'à partir de 1945.

Avant la guerre, je me considérais simplement comme
un individu, je ne voyais pas du tout le lien qu'il y avait
entre mon existence individuelle et la société dans
laquelle je vivais. Au sortir de l'École normale, j'avais
bâti toute une théorie là-dessus : j'étais l'« homme
seul », c'est-à-dire l'individu qui s'oppose à la société
par l'indépendance de sa pensée mais qui ne doit rien à
la société et sur qui celle-ci ne peut rien, parce qu'il est
libre. Ça, c'est l'évidence sur laquelle j'ai fondé tout ce
que je pensais, tout ce que j'écrivais et tout ce que je
vivais avant 1939. Durant toute l'avant-guerre je
n'avais pas d'opinions politiques et, bien entendu, je ne

votais pas. J'étais oreilles toutes ouvertes aux discours politiques de Nizan, qui était communiste, mais j'écoutais aussi bien Aron ou tel autre qui étaient socialistes. Quant à moi, je considérais que ce que j'avais à faire c'était écrire et je ne voyais absolument pas l'écriture comme une activité sociale. Je jugeais que les bourgeois étaient des salauds et je pensais pouvoir rendre compte de ce jugement, ce que je ne me privais pas de faire, en m'adressant précisément aux bourgeois pour les traîner dans la boue. La Nausée n'est pas uniquement une attaque contre la bourgeoisie mais elle l'est pour une bonne part : voyez les tableaux dans le musée... Si vous voulez, La Nausée est l'aboutissement littéraire de la théorie de l'« homme seul » et je n'arrivais pas à sortir de là, même si j'entrevoyais déjà les limites de cette position qui consistait en somme à condamner les bourgeois comme des salauds et à tenter de rendre compte de mon existence en essayant en même temps de définir pour l'individu solitaire les conditions d'une existence non mystifiée. Dire la vérité sur l'existence et démystifier les mensonges bourgeois c'était tout un et c'était ça que j'avais à faire pour accomplir mon destin d'homme, puisque j'avais été fait pour écrire. Et puis le reste, c'est-à-dire ma vie privée, je considérais qu'elle devait plutôt être faite d'agréments — j'aurais des ennuis aussi, comme tout le monde, qui me tomberaient dessus sans que je puisse les éviter, mais dans l'ensemble ce serait une vie d'agréments : femmes, bons repas, voyages, amitiés... J'étais professeur, bien sûr, parce qu'il fallait gagner sa vie, mais je ne détestais pas enseigner, au contraire, bien que le passage à une vie d'adulte, avec des responsabilités d'adulte, je l'aie ressenti de manière très désagréable : vers 1935, j'ai eu une sorte de dépression qui a duré plusieurs mois et que j'interprète aujourd'hui plus ou moins comme une crise d'identité liée à ce passage à la vie d'adulte. Mais

finalement je suis arrivé à réduire au minimum les obligations sociales qui sont celles d'un professeur et ça a
très bien été. Alors, je vous dis, c'est ainsi que je voyais
ma vie : d'abord écrire et, à côté de ça, vivre agréablement.

Ce qui a commencé à me faire voir que ce n'était pas
ça est apparu à partir de 36. D'abord le Front populaire
— que d'ailleurs, comme le Castor l'a raconté, nous
avons admiré de loin : nous avons vu les défilés du Front
populaire passer sous nos yeux en restant debout sur le
trottoir et dans ces défilés il y avait nos camarades;
nous étions dehors, à l'écart, et nous l'avons senti.
Mais tout de même, ça nous a obligés à sortir de l'indifférence absolue et nous étions entièrement pour le Front
populaire. Mais je n'avais rien fait qui puisse me faire
considérer comme un soutien du Front populaire. Et
puis le mouvement social s'est développé, les événements
se sont accélérés, ça a été 38, Munich. Au moment de
Munich j'étais déchiré entre mon pacifisme individualiste et mon antinazisme; cependant, au moins dans ma
tête, l'antinazisme l'emportait déjà. C'est que le nazisme
nous est apparu alors comme la force ennemie qui voulait nous abattre, nous Français, et cela rejoignait une
expérience qui, sans que je m'en sois encore rendu
compte, n'avait pas été simplement une expérience
individuelle mais qui était déjà sociale : celle que j'avais
faite en vivant un an en Allemagne nazie en 1933.
J'avais connu des Allemands, j'avais parlé avec eux,
j'avais vu des communistes qui se cachaient des nazis.
Sur le moment, je n'avais attribué aucune importance
à cela sur le plan politique, mais en fait cela avait déjà
des répercussions sur ce que je pensais ou vivais, seulement je ne le réalisais pas. L'Allemagne nazie me mettait
simplement en fureur et comme, en France, c'était Dou-
mergue — qui était une sorte de fasciste bon-enfant — et
les ligues, les Croix-de-Feu, etc., quelque temps après

mon retour j'ai pris une position qui me rapprochait de Nizan et de mes camarades communistes ou socialistes, c'est-à-dire une position antifasciste, sans que j'en tire évidemment de conséquences pratiques... Ainsi, vous voyez, on peut trouver dans la période d'avant guerre des éléments qui annoncent mon attitude ultérieure.

— *Il n'y a pas besoin de connaître celle-ci pour voir que* La Nausée *est un roman de gauche! Et quant à* L'Enfance *d'un chef, je crois qu'on ne trouverait pas, à l'époque, de mise en cause plus radicale du fascisme, en tout cas en dehors de la perspective marxiste. D'ailleurs, si l'on compare ces deux textes à ceux de Nizan de la même époque, il est évident que les vôtres sont beaucoup plus virulents.*

— C'est que moi j'avais un adversaire : le lecteur bourgeois; j'écrivais *contre* lui, du moins en partie, alors que Nizan aurait voulu des lecteurs *pour* qui écrire et, étant donné sa situation d'écrivain communiste lu par un public qui était en gros le même que le mien, le public des gens qui lisent, ça le mettait dans une contradiction qui n'était pas la mienne. Finalement, j'étais assez confortablement installé dans ma situation d'écrivain antibourgeois et individualiste.

Ce qui a fait éclater tout ça, c'est qu'un jour de septembre 1939, j'ai reçu une feuille de mobilisation et j'ai été obligé d'aller à la caserne de Nancy rejoindre des gars que je ne connaissais pas et qui étaient mobilisés comme moi. C'est ça qui a fait entrer le social dans ma tête : j'ai compris soudain que j'étais un être social quand je me suis vu arraché de l'endroit où j'étais, enlevé aux gens qui comptaient pour moi et emmené en train quelque part où je n'avais aucune envie d'aller, avec des gars qui n'en avaient pas plus envie que moi, qui étaient encore en civil comme moi et qui se demandaient autant que moi comment on en était arrivé là.

Ces gars, quand je les croisais dans la caserne où je tournais en rond ne sachant qu'y faire, je leur voyais, avec toutes leurs différences, une dimension commune et qui était aussi la mienne : ce n'était plus de simples personnes comme celles que je rencontrais dans mon lycée quelques mois plus tôt, quand je ne me doutais pas encore que, elles comme moi, nous étions des individus sociaux. Jusque-là je me croyais souverain et il a fallu que je rencontre par la mobilisation la négation de ma propre liberté pour que je prenne conscience du poids du monde et de mes liens avec tous les autres et de tous les autres avec moi.

La guerre a vraiment divisé ma vie en deux. Elle a commencé quand j'avais trente-quatre ans, elle s'est terminée quand j'en avais quarante et ça a vraiment été le passage de la jeunesse à l'âge mûr. En même temps, la guerre m'a révélé certains aspects de moi-même et du monde. Par exemple, c'est là que j'ai connu l'aliénation profonde qui était la captivité, c'est là que j'ai connu aussi le rapport aux gens, l'ennemi, l'ennemi réel, pas l'adversaire qui vit dans la même société que vous ou qui vous attaque verbalement, mais l'ennemi qui peut vous faire arrêter et emmener en taule en faisant un simple signe à des hommes armés.

Et puis j'ai connu là aussi, opprimé, abattu mais existant encore, l'ordre social, la société démocratique, dans la mesure précisément où elle était opprimée, détruite et où nous luttions pour lui conserver sa valeur, en espérant qu'après la guerre elle renaîtrait. C'est là, si vous voulez, que je suis passé de l'individualisme et de l'individu pur d'avant la guerre au social, au socialisme. C'est ça le vrai tournant de ma vie : avant, après. Avant, ça m'a mené à des œuvres comme *La Nausée,* où le rapport à la société était métaphysique, et après ça m'a mené lentement à la *Critique de la raison dialectique.*

— *L'année 1952, celle de votre rapprochement avec les communistes, et puis 1968, n'ont-ils pas représenté aussi des tournants décisifs?*

— 1952 n'a pas été très important. Je suis resté pendant quatre ans très proche des communistes, mais mes idées n'étaient pas les leurs, ils le savaient. Ils usaient de moi sans trop se mouiller, et ils se doutaient que s'il y avait un événement comme Budapest, je lâcherais; ce que je n'ai pas manqué de faire. Objectivement, ça peut représenter un tournant important, mais subjectivement pas grand-chose, parce que j'avais à peu près mes idées, je ne les ai pas abandonnées pendant que je faisais du voisinage avec les communistes; et je les ai retrouvées et développées dans la *Critique de la raison dialectique*.

Pour 1968, oui, ça a été important. Pour tout le monde. Mais pour moi particulièrement, car, si je me suis rapproché des communistes, c'est finalement parce qu'avant 1968 il n'y avait rien à leur gauche, sauf des trotskistes qui étaient, au fond, des communistes malheureux. S'il y avait eu un mouvement gauchiste après la guerre, je m'y serais engagé aussitôt.

— *Il y avait le groupe « Socialisme ou barbarie »...*

— C'était une chapelle réunissant une centaine d'intellectuels et quelques ouvriers dont ils étaient très fiers : ils avaient « leurs » ouvriers... C'est ça qui me déplaisait chez eux, en même temps que l'héritage trotskiste dont ils n'étaient pas affranchis. Et puis le seul intellectuel de ce groupe avec qui j'avais des rapports, puisqu'il était aussi aux *Temps modernes,* c'était Lefort, qui était loin de me convaincre. Alors je me suis exprimé sur eux dans la « Réponse à Lefort », à la suite des « Communistes et la Paix » avec lesquels Merleau-Ponty et lui n'étaient pas d'accord.

— *Oui, et si on relit aujourd'hui vos textes de l'époque et les leurs, on constate que le socialisme libertaire dont*

vous vous réclamez de nouveau se trouve plutôt chez
eux que chez vous...

— Écoutez, je sais que leurs idées ont joué un rôle
dans ce qui a préparé Mai 1968, je sais que Cohn-
Bendit les connaissait, et Pierre Victor aussi s'y est
intéressé. Mais, à l'époque, « Socialisme ou barbarie »
n'avait rien à voir avec la volonté d'action qui s'est
manifestée en 68. Aujourd'hui leurs idées peuvent peut-
être paraître plus justes que celles que je formulais en
1952, mais elles ne l'étaient pas à ce moment-là parce
que leur position était fausse.

— *Donc vous ne faites aucune autocritique sur « Les*
Communistes et la Paix », où vous développez pourtant
sur le rôle du Parti une thèse léniniste incompatible
avec vos positions actuelles?

— Je fais une critique de la conception que j'avais
du rôle de l'intellectuel. Mais je ne pouvais pas alors
en avoir d'autre et il fallait soutenir le parti communiste que le gouvernement voulait empêcher de s'exprimer.

— *Vous auriez pu le faire sans penser contre vous-*
même au point de penser contre la liberté. Il vous a
fallu un long détour pour la retrouver.

— Le détour n'a pas été très long, trois ou quatre ans.

— *Mais pourquoi continuer aujourd'hui à estimer*
juste votre position durant les années 1952 à 1956 et
fausse celle de « Socialisme ou barbarie »?

— C'est parce que je continue de penser que pendant
ces années de guerre froide les communistes avaient
raison. L'U.R.S.S. — avec tous les torts qu'elle avait et
que nous connaissons — n'en était pas moins persécu-
tée, elle n'était pas encore en état de résister à l'Amérique dans une guerre, elle voulait donc la paix. C'est
pourquoi nous pouvions nous reconnaître dans le discours que tenaient les communistes : en gros, ils reprochaient à l'Amérique ce que nous lui reprochions.

— *Et ce que lui reprochaient tout autant les gens de*
« *Socialisme ou barbarie* »...

— Mais ce n'était qu'un petit machin de rien du tout!

— *Et vous n'avez jamais fait confiance aux minori-
taires?*

— Si, depuis...

— *Alors, pourquoi ne pas reconnaître que ces gens
n'avaient pas tort à l'époque? Votre attitude me rappelle une anecdote que vient de me raconter Gorz et qui
me semble extrêmement significative en ce qui concerne
la Chine de Mao : vers 1959, des techniciens membres
du P.C. chinois ont mis en garde leur parti contre les
Russes en expliquant que la coopération entre les deux
pays ne profitait en définitive qu'à l'U.R.S.S. Ils ont
été exclus pour « atteinte à l'internationalisme prolé-
tarien ». Survient la rupture sino-soviétique. Ces mêmes
techniciens demandent alors leur réintégration dans
le Parti et celui-ci la leur refuse en disant en substance :
« Vous aviez tort d'avoir compris quelque chose que le
président Mao lui-même n'avait pas encore compris et
ne pouvait pas comprendre étant donné les conditions
historiques de l'époque. Tant que vous n'aurez pas fait
d'autocritique sur votre position, le Parti ne pourra
que vous considérer comme des éléments indiscipli-
nés. » Ça consiste à leur dire : Vous aviez tort d'avoir
raison et nous avions raison d'avoir tort. C'est en
somme ce que vous dites à « Socialisme ou barbarie ».*

— Je ne dis rien de tel, pour la bonne raison qu'ils
n'avaient pas compris quelque chose que moi je n'avais
pas encore compris : ils avaient leurs idées, j'avais les
miennes, et nous n'étions pas d'accord sur la position
à avoir à l'égard des communistes. Ce n'est pas parce
que je juge aujourd'hui le Parti comme eux le jugeaient
à l'époque que leurs raisons sont nécessairement les
bonnes. Les vérités sont « devenues » et ce qui compte
c'est le chemin qui y mène, le travail qu'on fait sur soi et

avec les autres pour y arriver. Sans ce travail, une vérité peut n'être qu'une erreur vraie.

— *Mettons alors qu'ils ont gagné du temps. Quelqu'un comme Cohn-Bendit, avec qui vous vous retrouvez aujourd'hui d'accord sur l'essentiel des options politiques, a gagné du temps grâce à eux.*

— C'est possible mais ce n'est pas sûr du tout : ce que vous appelez « gagner du temps » peut vous en faire perdre par la suite et inversement. Ça n'est pas décidé d'avance.

— *Qu'est-ce qui fait pour vous l'originalité profonde de Mai 68?*

— Selon moi, le mouvement de Mai est le premier mouvement social d'envergure qui ait réalisé, momentanément, quelque chose de voisin de la liberté et qui, à partir de là, ait essayé de concevoir ce que c'est que la liberté en acte. Et ce mouvement a donné des gens — dont je suis — qui ont décidé qu'il fallait maintenant essayer de décrire positivement ce qu'est la liberté lorsqu'elle est conçue comme but politique. Car, en définitive, que demandaient ceux qui ont fait Mai 68 sur les barricades? Rien, du moins rien de précis que le pouvoir aurait pu leur céder. C'est-à-dire qu'ils demandaient tout : la liberté. Ils ne demandaient pas le pouvoir et ils n'ont pas cherché à le prendre car, pour eux, pour nous aujourd'hui, c'est la structure sociale même permettant l'exercice du pouvoir qu'il s'agit de supprimer. C'est ce que je voudrais montrer dans un livre que j'essaierai bientôt d'écrire et qui s'appellera « Pouvoir et liberté ».

— *C'est justement sur ce problème que je vois un paradoxe dans votre attitude, même après 68. Car, d'après ce que vous dites là, on se serait attendu à vous trouver en 1970-1971 plutôt avec un groupe comme « Vive la Révolution! » — qui tentait de mettre en œuvre et de vivre ce nouvel esprit libertaire apparu*

sur les barricades de Mai — qu'avec l'ex-Gauche pro-
létarienne, qui était un groupe hyperhiérarchisé et
fonctionnant sur les idées léninistes traditionnelles
touchant l'organisation du parti d'avant-garde.

— Les maos étaient en effet très hiérarchisés à l'intérieur du groupe et en même temps ils ne voulaient
pas l'être. D'autre part, ils cherchaient la fusion dans
la masse, non pas en tant qu'avant-garde mais en tant
que militants exprimant la volonté de la masse. Ils voulaient à la fois l'organisation et la spontanéité des
masses et ils se contredisaient. Voilà comment ils étaient
les maos. Moi, près de deux ans après Mai 68, j'en
étais encore à réfléchir sur ce qui s'était passé et que
je n'avais pas bien compris : je n'avais pas vu ce que
voulaient ces jeunes ni quel pouvait être dans cette
affaire le rôle des vieux cons dont j'étais; alors, j'avais
suivi, je les avais comblés de félicitations, j'avais été
parler avec eux à la Sorbonne, mais ça ne voulait rien
dire. Je n'ai vraiment compris qu'après, quand j'ai eu
des rapports plus étroits avec les maos. Au début, quand
ils m'ont demandé de prendre la direction de *La Cause*
du peuple, ils pensaient simplement se servir de moi,
mais ils me l'ont dit, ça n'avait rien de machiavélique,
et j'ai accepté en toute connaissance de cause. Et puis,
par la suite, c'est devenu tout à fait autre chose que les
rapports d'un intellectuel connu avec un groupe qu'il
soutient.

— *Ce qui me frappe néanmoins, à observer votre tra-*
jectoire politique, c'est votre suivisme. A la seule excep-
tion du groupe « Socialisme et liberté » qui s'est formé,
en 1941, surtout à votre initiative, et peut-être à l'ex-
ception aussi du R.D.R., en 1948, vous avez toujours
conçu votre engagement politique sous la forme d'une
adhésion de solidarité avec un mouvement déjà cons-
titué.

— Ce n'est pas du suivisme. C'est parce que j'estime

que ce n'est pas aux intellectuels de constituer des groupes. Non pas que je pense que l'intellectuel doive simplement servir de force d'appoint. Non, il doit faire partie du groupe et participer à son action, tout en maintenant fermement les principes et en critiquant l'action si elle s'en éloigne. C'est là, pour moi, actuellement, le rôle de l'intellectuel. Ça n'empêche pas que l'intellectuel est voué à disparaître en tant qu'homme qui pense à la place des autres : penser pour d'autres, c'est une absurdité qui condamne la notion même d'intellectuel.

— *Reste que nous sommes dans une situation où l'intellectuel est encore nécessaire. Il doit par conséquent faire son travail d'intellectuel et non pas « s'établir » en usine comme vous le prôniez en 1971, tout en continuant à écrire tranquillement votre* Flaubert.

— Oh, vous exagérez, je n'ai jamais dit que tous les intellectuels devaient s'établir. J'ai dit qu'ils devaient dépasser leurs contradictions en inventant d'autres moyens de s'engager que de signer des pétitions ou d'écrire des articles pour d'autres intellectuels. L' « établissement » était un de ces moyens. Et ceux des intellectuels qui se sont établis ne s'en portent pas plus mal, même quand aujourd'hui ils font autre chose. Quant à moi, en effet, si j'avais été frapper à la porte d'une usine pour me faire embaucher comme O.S., c'eût été burlesque, ne serait-ce que parce que j'avais déjà largement dépassé l'âge de la retraite. Que voulez-vous, étant donné que c'est seulement vers soixante-sept ans que j'ai compris jusqu'au bout ce que doivent être les vrais rapports d'un homme avec la politique et ce qu'est véritablement la situation d'un homme politique — au sens où tout homme est politique —, cette compréhension, que je dois d'une certaine façon au maoïsme, n'a pas pu entraîner pour moi les mêmes conséquences pratiques que pour un homme plus jeune et mieux portant.

— *Vous voulez dire que si vous aviez eu quarante ou cinquante ans, vous auriez cédé à la pression culpabilisatrice qu'exerçaient les maos sur les intellectuels et vous auriez renoncé à faire ce que vous aimiez?*

— Je n'aurais renoncé à rien du tout. Rien ne m'aurait empêché de continuer à écrire ce que je pensais pouvoir et devoir écrire et ce que j'avais envie d'écrire. Pierre Victor me demandait d'écrire un roman populaire plutôt que de continuer le *Flaubert :* je n'y ai jamais songé le moins de monde.

— *En revanche, n'aviez-vous pas songé, à un moment donné, à écrire un roman d'amour?*

— Oh, c'était beaucoup plus tôt! C'était une année où j'étais à Rome sans savoir quoi écrire à ce moment-là, vers 1961 ou 1962. Alors je cherchais un sujet de roman. Tantôt c'était un roman d'amour, tantôt c'était un bonhomme qui traînait dans les rues de Rome en regardant la lune et en pensant à ce qu'il était dans le cours du monde...

— *Encore l' « homme seul »?*

— Eh bien oui, si vous voulez, mais très transformé...

— *Aujourd'hui, en dehors de vos intimes, la « famille », comme vous dites, vous voyez très peu de monde. Et ceux qui écrivent sur votre œuvre, leur fermez-vous aussi votre porte?*

— Non, les gens qui font des travaux sur moi et que je peux aider pour cela, je les reçois volontiers. Comme ce jeune critique que vous connaissez, Michel Sicard, qui fait une étude sur *L'Idiot de la famille.* Assez souvent, des universitaires britanniques ou américains, qui préparent une thèse sur tel ou tel aspect de mon œuvre, ont des questions à me poser auxquelles mes livres donnent une réponse ambiguë. Il y a tant d'interprétations possibles dans le peu de choses que dit un écrivain. Alors, autant profiter de ce qu'il est encore vivant...

— *A l'inverse, est-il arrivé que des commentateurs aient éclairé pour vous certains aspects de votre œuvre?*
— Non. Je n'ai jamais rien appris d'un de mes commentateurs. Pourtant, depuis 1945, je pensais que cela arriverait, qu'un jour quelqu'un écrirait sur moi quelque chose qui m'éclairerait sur ma pensée. Je voyais bien que lorsqu'on lisait Zola ou Hugo en 1940 ou en 1945, on y mettait des choses qu'ils n'avaient pas consciemment mises et, par conséquent, on les déchiffrait autrement. Alors, je pensais que c'était pareil pour un écrivain vivant. Ça n'est pas vrai : il faut être mort pour cela. Ou alors, il faut que le commentateur soit lui-même plus avancé que l'écrivain qu'il étudie, qu'il en ait complètement fait le tour, qu'il soit déjà un peu plus loin en avant, mais ça, c'est très très rare.

— *Il n'y a rien de vraiment utile dans l'énorme masse des écrits qu'on vous a déjà consacrés?*
— Ce serait aller trop loin. Mais je peux dire que, dans l'ensemble de ce que j'ai lu sur moi — je n'ai pas tout lu, bien sûr, à peine le dixième —, je n'ai rien appris.

Ou bien je trouve un exposé fidèle de mes idées, dans le meilleur des cas, ou bien je ne peux accorder aucune valeur aux contestations qu'on m'oppose, parce qu'elles se fondent sur une incompréhension flagrante — pour moi — de ce que j'ai voulu dire.

— *Il y a en tout cas quelqu'un qui se collette depuis longtemps et avec constance avec vos idées, c'est votre vieux camarade Raymond Aron.*
— Mais alors là, je connais trop les idées d'Aron. Je sais trop où il va. En ce qui me concerne, j'ai dépassé depuis longtemps son point de vue. Lorsqu'il écrit sur moi, il expose sa pensée et ne m'apporte rien pour ce qui concerne la mienne. J'ai lu son dernier livre, où il conteste la *Critique de la raison dialectique*. Il pose des problèmes, des questions, qu'il a bien le droit de

poser de son point de vue mais qui ne me concernent absolument pas. Selon moi, il travestit ma pensée pour mieux la contester.

— *Aron, avec d'ailleurs plus de tristesse que d'amertume, dit que vous n'avez jamais répondu à ses arguments autrement que par des injures...*

— Je l'ai peu insulté dans ma vie. Je l'ai insulté, si l'on veut, en 1968, parce que sa position à ce moment-là m'avait paru insupportable. Que ce professeur, intelligent, instruit, ne tienne compte de Mai 68 que comme il l'a fait, montre une limite à son intelligence et à sa connaissance : il n'a pas compris ce qui se passait là.

— *Ce n'est pas forcément une raison pour l'insulter.*

— Si. Je l'ai fait volontairement. C'était une façon pour moi de marquer qu'il se mettait de lui-même hors de la société que Mai 68 annonçait et de reprendre cette exclusion à mon compte. Avant cela, il était un professeur avec les idées duquel je pouvais n'être pas d'accord mais qui les exposait à la Sorbonne devant des étudiants qui pouvaient les discuter. Tout cela, je l'acceptais parfaitement avant 1968. Mais, quand j'ai vu ce qu'il pensait des étudiants qu'il avait eus et qui contestaient le système universitaire tout entier, j'ai pensé qu'il n'avait jamais rien compris à ses élèves. C'est le professeur que j'attaquais, le professeur hostile à ses propres étudiants, et non l'éditorialiste du *Figaro*, qui peut bien dire ce qu'il veut.

— *En règle générale, vous vous prêtez peu à la discussion d'idées...*

— J'écris des livres, les idées s'y trouvent, il n'y a qu'à y répondre en écrivant d'autres livres.

— *Mais vous n'avez pas répondu à Merleau-Ponty, ni à Lévi-Strauss, ni à Raymond Aron, qui avaient pourtant écrit des textes pour contester les vôtres.*

— Non, pour quoi faire? J'ai dit ce que j'avais à dire, ils ont donné un point de vue différent du mien. Ceux qui ne sont pas d'accord avec ce qu'ils ont écrit sur moi n'ont qu'à le dire. Ce n'est pas à moi de le faire. Ce n'est pas du mépris. Par exemple, je suis loin de mépriser Lévi-Strauss — je le considère au contraire comme un très bon ethnologue — mais il a écrit des pages qui, selon moi, sont absurdes, sur la *Critique de la raison dialectique.* Mais je n'ai pas à le lui dire, pour quoi faire?

— *Et la simple conversation d'idées?*

— Je déteste ça, les discussions d'idées entre intellectuels, on est toujours au-dessous de soi-même, on dit de grosses bêtises.

— *Vous n'avez jamais découvert votre pensée en la formulant devant un interlocuteur?*

— Non. J'ai pu la formuler à un moment où elle était encore peu solide à Simone de Beauvoir. Je lui ai exposé les grandes thèses de *L'Être et le Néant* qui n'était pas encore écrit. C'était pendant la « drôle de guerre ». Je lui ai exposé toutes mes idées quand elles étaient en voie de formation.

— *Parce qu'elle était au même niveau de connaissances philosophiques que vous?*

— Non seulement pour cela mais parce qu'elle était la seule qui était à mon niveau de connaissance de moi, de ce que je voulais faire. Donc, elle était l'interlocuteur parfait, l'interlocuteur qu'on n'a jamais eu. C'est une grâce unique. Il y a probablement beaucoup d'écrivains, hommes ou femmes, que quelqu'un de très intelligent a aimés et a aidés. C'est le cas de George Eliot, par exemple : son second mari l'a beaucoup aidée. Ce qui est unique entre Simone de Beauvoir et moi, c'est ce rapport d'égalité.

— *En quelque sorte, vous vous donnez l'un à l'autre l' « imprimatur »?*

— Exactement. C'est tout à fait la formule qui convient. Les critiques qui viennent après, dans les journaux ou les revues, peuvent me faire plus ou moins plaisir, mais elles ne comptent pas vraiment. Depuis *La Nausée,* ça s'est toujours passé comme ça.

— *Il vous est arrivé quand même de vous défendre contre les critiques de Simone de Beauvoir, non?*

— Ah, considérablement! D'ailleurs, nous nous insultions même... Mais je savais que c'était elle qui aurait finalement raison. Ce qui ne veut pas dire que j'accepte toutes ses critiques, mais la majorité.

— *Êtes-vous aussi sévère pour elle qu'elle l'est pour vous?*

— Absolument. Le maximum de sévérité. Ça n'a pas de sens de faire des critiques qui ne soient pas très sévères quand on a la chance d'aimer celui ou celle que l'on critique.

— *Votre seul interlocuteur, à vous entendre, serait Simone de Beauvoir. Mais vos discussions d'étudiant avec Nizan ou Aron, il vous en est tout de même resté quelque chose...*

— Pas vraiment. J'ai beaucoup discuté avec Aron ou avec Politzer, mais ça n'a servi à rien. Avec Nizan, oui, un petit peu. Seulement, ce qui nous a écartés l'un de l'autre, c'est qu'il est devenu marxiste, c'est-à-dire qu'il a adopté une pensée qui n'était pas encore la sienne quand nous sommes devenus amis, et qui avait des implications beaucoup plus riches qu'il ne le croyait. Du coup, je me trouvais en face d'une pensée que je comprenais mal, que je connaissais encore assez peu — j'avais lu *Le Capital,* cependant, mais je l'avais lu sans le comprendre, c'est-à-dire sans être transformé — et cette pensée devenait gênante, comme maudite, grimaçante, farceuse, parce que c'est un autre, un autre que j'aimais, qui s'en servait à la fois comme d'une vérité sérieuse et comme d'une farce qu'il me faisait.

Je me sentais contesté par le marxisme parce que c'était la pensée d'un ami et qu'elle venait en travers

de notre amitié. Et le marxisme est resté, au moins jusqu'à la guerre, quelque chose qui me gênait, qui me
faisait mal, qui m'indiquait que je ne connaissais pas
tout, bien loin de là, et qu'il fallait apprendre. Et je
n'arrivais pas à l'apprendre. J'ai lu, à un moment
donné, au Havre, des ouvrages de Marx ou des ouvrages
marxistes; mais je ne retenais pas, je ne voyais pas le
sens qu'ils avaient.

C'est pendant la guerre, l'Occupation, que ça a
commencé à devenir fort pour moi, quand j'ai fait partie d'un groupe de résistance où il y avait des communistes. Et puis, après la guerre, j'ai rempli des douzaines
de cahiers de notes pour une morale — que je regrette
d'avoir perdus : ces notes n'étaient rien d'autre qu'une
discussion avec le marxisme.

— *Maintenez-vous, aujourd'hui encore, l'autonomie
de l'existentialisme au sein du marxisme, comme vous
le disiez en 1957?*

— Oui, tout à fait.

— *Donc, vous acceptez encore l'étiquette d'existentialiste?*

— Le mot est idiot. Ce n'est d'ailleurs pas moi, comme
vous savez, qui l'ai choisi : on me l'a collé et je l'ai
accepté. Aujourd'hui, je ne l'accepterais plus. Mais personne ne m'appelle plus « existentialiste », sauf dans les
manuels, où ça ne veut rien dire.

— *Étiquette pour étiquette, vous préférez celle d'«existentialiste » ou celle de « marxiste »?*

— S'il fallait absolument une étiquette, j'aimerais
mieux existentialiste.

— *Il y a une épreuve que l'existentialisme n'a pas
connue, c'est celle du pouvoir. Or, bien des gens
affirment aujourd'hui que le marxisme, en s'instituant
comme idéologie d'un pouvoir — le pouvoir soviétique —,
a révélé sa nature profonde de pensée de pouvoir. Qu'en
pensez-vous?*

— C'est vrai, en ce sens que je pense que, bien qu'il ait été détourné en U.R.S.S., le marxisme a quand même été lui-même dans le système soviétique. Le marxisme n'est pas du tout une philosophie allemande ou anglaise du XIXe siècle qui a servi de couverture à un système dictatorial du XXe siècle. Je pense que c'est bien le marxisme qui est au cœur du système soviétique, et qu'il n'a pas été dénaturé par celui-ci.

— *Mais vous jugez aussi que le régime soviétique est un échec complet. Cela n'infirme-t-il pas ce que vous disiez en 1957 : « Le marxisme est la philosophie indépassable de notre temps »?*

— Je pense qu'il y a des aspects essentiels du marxisme qui demeurent : la lutte des classes, la plus-value, etc. C'est l'élément de pouvoir contenu dans le marxisme qui a été pris par les Soviétiques. En tant que philosophie de pouvoir, je pense que le marxisme a donné sa mesure en Russie soviétique. J'estime qu'aujourd'hui, comme j'essaie de le dire un peu dans *On a raison de se révolter,* c'est une autre pensée qu'il faut, une pensée qui tienne compte du marxisme pour le dépasser, pour le rejeter et le reprendre, l'envelopper en soi. C'est la condition pour arriver à un véritable socialisme.

Je crois avoir, avec beaucoup d'autres qui pensent aujourd'hui, indiqué des voies pour ce dépassement. C'est dans ce sens-là que je voudrais travailler maintenant, mais je suis trop vieux pour le faire. Tout ce que je souhaite, c'est que mon travail soit repris par d'autres. Je souhaite, par exemple, que Pierre Victor fasse ce travail à la fois d'intellectuel et de militant qu'il veut accomplir.

— *Et c'est chez Pierre Victor que vous voyez se dessiner le plus de chances pour qu'un tel travail réussisse?*

— Oui. C'est de tous les gens que j'ai connus le seul qui, de ce point de vue, me donne toute satisfaction.

— *Ce que vous semblez apprécier chez lui, c'est la*

radicalité de ses ambitions. Et c'est ce que vous avez apprécié aussi chez Giacometti.

— Oui, c'est exactement la même chose. Nizan n'avait pas une ambition aussi radicale. Le Parti faisait qu'il n'allait pas jusqu'au bout de son radicalisme. S'il n'était pas mort, peut-être y serait-il arrivé, puisque le Parti l'avait trahi, selon lui.

*— Au fond, les gens pour qui vous avez une estime entière ne sont-ils pas ceux qui ont une « soif d'absolu », comme on disait au XIX*e *siècle?*

— Oui, certainement. Ceux qui veulent tout. C'est ce que j'ai voulu moi-même. Naturellement, on n'arrive pas à tout, mais il faut vouloir tout.

— Y a-t-il d'autres de vos contemporains pour lesquels vous ayez une estime aussi entière? Vous aviez, par exemple, en 1960, proclamé votre estime et votre amitié pour Fidel Castro.

— Oui, mais je ne sais pas ce qu'il est devenu. Il nous a rejetés quand nous avons protesté contre l'emprisonnement de Padilla. Il a été violent contre nous, qui l'étions moins contre lui parce que j'avais encore de l'amitié, au fond de moi, pour l'homme que j'avais connu. Il m'avait plu, c'est rare; il m'avait beaucoup plu.

— Et qui d'autre?

— Mao. J'ai une estime entière pour Mao, au moins jusqu'à il y a quelques années. Je n'ai pas bien compris la « révolution culturelle », non que je sois le moins du monde contre, mais je ne suis pas arrivé à me faire une idée claire de ce que cela signifiait, et je pense que ce n'est pas clair dans les faits.

Un des derniers voyages que j'aimerais faire, c'est un voyage en Chine. Je l'ai vue à un certain moment de son histoire, en 1955. Et puis est venue la « révolution culturelle ». J'aimerais la revoir maintenant, je crois que je la comprendrais mieux.

— *Et l'admiration, est-ce un sentiment que vous connaissez?*

— Non. Je n'admire personne, et je n'aimerais pas qu'on m'admire. Les hommes n'ont pas à être admirés : ils sont tous pareils, tous égaux. Ce qui importe, c'est ce qu'ils font.

— *Vous m'aviez pourtant dit un jour que vous admiriez Victor Hugo...*

— Oh, bien peu. Je ne peux pas vous donner de sentiment exact pour Victor Hugo. Il y a beaucoup de choses à blâmer en lui, et d'autres qui sont vraiment très belles. C'est confus et mêlé, alors je m'en tirais en disant que je l'admirais. Mais, en vérité, je ne l'admire pas plus qu'un autre. Non, l'admiration est un sentiment qui suppose que l'on est inférieur à celui qu'on admire. Or, vous le savez, selon moi tous les hommes sont à égalité et l'admiration n'a rien à faire entre les hommes. Estimer, c'est le vrai sentiment que l'on puisse exiger d'un homme à l'égard d'un autre homme.

— *Plus qu'aimer?*

— Non, aimer et estimer, ce sont les deux aspects d'une même réalité, c'est un même rapport à l'autre. Ce qui ne veut pas dire que l'estime soit absolument nécessaire à l'amour, ni l'amour à l'estime. Mais quand on a les deux ensemble, on a la vraie attitude d'un homme à l'égard d'un autre. Nous n'en sommes pas là. Nous en serons là quand le subjectif sera totalement découvert.

— *Mais comment expliquez-vous, pour vous-même, que vous soyez inconstant en amitié et constant dans vos relations amoureuses?*

— Je ne suis pas inconstant en amitié. Disons, si vous voulez, que mes amitiés ont compté moins fort que mes relations amoureuses. Pourquoi dites-vous que je suis inconstant?

— *Je pense à Camus, par exemple.*

— Mais, Camus, je n'ai jamais été contre lui. J'ai été contre le papier qu'il a envoyé aux *Temps modernes* en m'appelant « Monsieur le directeur » et en développant des idées insensées sur l'article [1] de Francis Jeanson. Il pouvait répondre à Jeanson mais pas comme il l'a fait : c'est son article qui m'a mis en colère.

— *Et la rupture qui s'en est suivie ne vous a pas affecté?*

— Non, pas vraiment. On se voyait déjà beaucoup moins et, les dernières années, chaque fois qu'on se rencontrait il m'engueulait : j'avais fait ceci, j'avais dit ça, j'avais écrit quelque chose qui lui déplaisait et il m'engueulait. Ce n'était pas encore la brouille mais c'était devenu moins plaisant. Il avait beaucoup changé, Camus. Au début, il ne savait pas encore qu'il était un grand écrivain, c'était un marrant et on s'amusait bien ensemble : il avait un langage très vert, moi aussi d'ailleurs, on racontait un tas de cochonneries et sa femme et Simone de Beauvoir feignaient d'être scandalisées. Pendant deux ou trois ans, j'ai eu vraiment de bons rapports avec lui. On ne pouvait pas pousser très loin sur le plan intellectuel parce qu'il s'effrayait vite; en fait, il avait un côté petit voyou d'Alger, très truand, très marrant. C'est probablement le dernier qui ait été un bon ami.

— *Enfin, il y a beaucoup de gens qui sont sortis de votre vie, et ce sont surtout des hommes.*

— Il y a beaucoup de femmes qui sont aussi sorties de ma vie. Quelquefois par la mort, d'autres fois d'une autre façon. Mais, dans l'ensemble, je ne vois pas que j'aie été plus inconstant qu'un autre dans mes amitiés. Mes rapports avec Bost, par exemple, sont presque aussi anciens que mes rapports avec le Castor. Ceux que nous appelions la « famille », je les vois encore

1. *Les Temps modernes*, n° 82, août 1952.

presque tous... Pouillon, par exemple, c'est un ami depuis trente-cinq ans...

Il y a eu pourtant une fin étrange de mes rapports avec Giacometti; un malentendu que je n'ai pas bien compris, mais ça, c'est une autre histoire... Lui aussi, d'une certaine manière, il s'est tourné contre moi peu avant sa mort et, à mon avis, c'était un malentendu de sa part.

— *Beaucoup de gens s'étonnent que vous ayez pu avoir longtemps pour secrétaire quelqu'un comme Jean Cau, étant donné ce qu'il est devenu par la suite.*

— Écoutez, l'évolution de Jean Cau ne me concerne en rien.

— *Revenons aux femmes...*

— Mes rapports avec les femmes ont toujours été au mieux parce que le rapport sexuel proprement dit permet plus facilement que l'objectif et le subjectif soient ensemble donnés. Les relations avec une femme, même d'ailleurs si l'on ne couche pas avec elle — mais si on l'a fait ou qu'on aurait pu le faire —, sont plus riches. D'abord, il y a un langage qui n'est pas la parole, qui est le langage des mains, le langage des visages. Je ne parle pas du langage sexuel proprement dit. Quant au langage lui-même, il vient du plus profond, il vient du sexe, quand il s'agit d'un rapport amoureux. Avec une femme, la totalité de ce qu'on est est là.

— *Ce qui me frappe aussi depuis que je vous connais, c'est que, quand vous parlez de vos amis, vous avez souvent la dent dure...*

— Parce que je sais comment ils sont! Et comment je suis! Je pourrais avoir également la dent dure pour moi.

— *Et s'il s'agissait de l'avoir pour vous, que diriez-vous?*

— En gros, ça revient toujours à n'avoir pas été jusqu'au bout de ma radicalité. J'ai naturellement commis

dans ma vie une foule de fautes, petites ou grandes, qui
peuvent venir de telle raison ou de telle autre, mais le
fond de l'affaire, chaque fois que j'ai fait une faute, c'est
que je n'ai pas été assez radical.

— *En revanche, les gens qui vous connaissent estiment
en général que l'une de vos principales qualités est
l'absence de narcissisme. Vous êtes d'accord?*

— Je pense que ça serait bien que je n'aie pas de narcissisme et je me comporte effectivement comme quelqu'un qui n'en a pas. Mais cela ne veut pas dire que ce
soit tout à fait vrai. Le narcissisme, selon moi, est une
certaine manière de se contempler réflexivement, de
s'aimer, c'est une façon de vouloir se retrouver tel qu'on
s'imagine être dans ce qu'on fait, bref, c'est un rapport
constant à soi, soi n'étant pas d'ailleurs exactement
le soi actif qui parle, qui pense, qui rêve, qui agit, mais
plutôt un personnage fabriqué à partir de lui. Eh bien,
ça, je ne peux pas dire que j'en sois complètement
dépourvu. Je tends à le supprimer, il y a des moments
où j'en suis réellement dépourvu. Par exemple, en ce
moment, nous parlons simplement de certaines choses
qui me concernent, donc je pourrais être narcissique,
mais en fait je songe à répondre le mieux que je peux,
et je ne le suis pas. Mais à un autre moment, le narcissisme peut revenir : il naît aussi de la façon dont les
autres me considèrent, une phrase de quelqu'un qui est
avec moi peut m'y disposer.

— *Mais vous ne pensez pas que pour être heureux,
en somme, une condition est de s'aimer?*

— Est-ce qu'on s'aime? Est-ce que ce n'est pas
un autre sentiment qu'on a vis-à-vis de soi-même?
Aimer quelqu'un, c'est relativement simple et facile à
comprendre, parce que la personne que vous aimez
n'est pas toujours là, elle n'est pas vous. Ces deux raisons suffisent à indiquer que le sentiment que vous
avez pour vous, qui êtes toujours là et qui êtes vous-

même, par conséquent qui est à la fois celui qui aime et celui qui est aimé, est un sentiment qui sans doute n'existe pas, à moins justement d'introduire des images et, à ce moment-là, nous sommes de nouveau sur le plan du narcissisme. Je ne crois pas que le rapport juste de soi avec soi doit être un rapport d'amour. Je pense que l'amour est le vrai rapport de soi avec les autres. À l'inverse, ne pas s'aimer, se blâmer constamment, se détester, empêche tout autant la pleine possession de soi.

— *Ce dont vous semblez en effet assez étonnamment dépourvu, c'est de culpabilité.*

— Je n'en ai pas, c'est vrai. D'aucune sorte. Je ne me sens jamais coupable, et je ne le suis pas.

— *Pourtant, c'est un sentiment que vous avez décrit dans votre œuvre, c'en est même un thème majeur. Pour décrire aussi bien la culpabilité, il me semble qu'il vous a fallu la connaître,. et que si vous n'en avez point aujourd'hui, c'est peut-être plus une conquête qu'un donné.*

— Dans ma famille on m'a tout de suite pénétré du sentiment que j'étais un enfant de valeur. En même temps, cependant, il y avait le sentiment de ma contingence qui s'opposait un peu à l'idée de valeur, parce que la valeur, c'est tout un tourbillon qui suppose des idéologies, des aliénations, et la contingence, c'est la réalité nue. Mais j'ai trouvé un truc : c'était de m'attribuer de la valeur parce que je sentais la contingence que les autres ne sentaient pas. Alors, je devenais l'homme qui parlait de la contingence, et, par conséquent, l'homme qui avait mis sa valeur à en chercher le sens et la signification. Ça, c'est très clair.

— *Et vous ne pensez pas que, dans la manière dont vous agissez avec l'argent, par exemple, on pourrait trouver des traces de culpabilité?*

— Je ne crois pas. La première chose à dire, c'est que

je n'étais pas d'une famille où le rapport de l'argent
avec le travail fût saisi clairement, comme quelque
chose de dur, de pénible.

Mon grand-père travaillait beaucoup, mais il travaillait avec des écrits et, pour moi, c'était s'amuser que
de lire et d'écrire. Il écrivait, il s'amusait, j'avais vu les
épreuves qu'il corrigeait, ça m'amusait; et puis, il y
avait les livres dans son cabinet de travail, et puis il
parlait à des gens, il leur donnait des leçons d'allemand.
Et c'était tout ça qui lui rapportait de l'argent. Comme
vous voyez, le rapport n'était pas net.

Par la suite, quand j'ai moi-même écrit, le rapport
entre l'argent que je recevais et les livres que je faisais
était complètement nul : je ne le comprenais pas puisque
je considérais que la valeur d'un livre s'établissait au
cours des siècles. Par conséquent, l'argent que me rap-
portaient mes livres était lui-même une espèce de signe
contingent. Si vous voulez, le premier rapport de l'argent avec ma vie a duré. C'est un rapport bête.

Il y avait mon travail, ma manière de vivre, mon
effort auquel je prenais plaisir — j'ai toujours été
content d'écrire — et, accessoirement, mon métier de
professeur, lié un peu à tout ça, ne m'agaçait pas. J'aimais à le faire. Dans ces conditions, pourquoi fallait-il
qu'on me donne de l'argent? Et pourtant, on m'en donnait.

— *Parlant de culpabilité, je pensais plutôt à votre
manière de donner de l'argent.*

— Pour en donner, il fallait d'abord que j'en aie. Je
n'ai pu en donner qu'à partir de dix-huit, dix-neuf ans,
quand j'ai été à l'École normale, que je donnais des
leçons à des « tapirs » et qu'on me donnait donc de l'argent. Là, j'en ai eu un petit peu et j'ai pu en donner.
Mais je donnais quoi? Cet argent-papier que je recevais
après un travail dont j'étais satisfait. Je n'ai pas senti,
pour moi, la valeur du sou, de ce qui pèse, de ce qui est

lourd : j'ai senti des billets de papier que je donnais comme je les recevais, pour rien.

— *Vous auriez pu vouloir vous acheter des choses, posséder.*

— Ça m'arrivait aussi. Je ne donnais pas tout ce que je recevais, donc je m'achetais des choses. Mais je n'ai jamais voulu avoir de maison ou d'appartement à moi. Cela dit, je ne pense pas qu'il y ait la moindre culpabilité dans ma manière de donner de l'argent. Je le donnais parce que je pouvais le faire et que ceux qui m'intéressaient en avaient besoin. Jamais je n'ai donné de l'argent pour laver une faute, ou parce que cet argent me pesait en tant que tel.

— *Une chose qui m'a frappé quand je vous ai connu, au début, c'est que vous aviez souvent de très grosses liasses de billets sur vous. Pourquoi?*

— C'est vrai, j'avais souvent plus d'un million dans ma poche. On m'a plusieurs fois reproché d'avoir trop d'argent sur moi. Simone de Beauvoir, par exemple, trouvait cela ridicule, et, effectivement, c'est idiot. Mais, à vrai dire, si je ne le fais plus maintenant, ce n'est pas parce que je pourrais le perdre ou qu'on pourrait me dévaliser mais à cause de ma vue : je confonds les billets, et ça peut créer des situations gênantes. N'empêche que j'aime bien avoir mon argent sur moi, et que ça m'est désagréable de ne plus pouvoir le faire. Je vous dirai que c'est la première fois qu'on me demande pourquoi...

Je sais que ça fait nabab de sortir une grosse liasse : je me rappelle un hôtel sur la Côte d'Azur où nous allions souvent, Simone de Beauvoir et moi; un jour, la remplaçante de la patronne s'est plainte à Simone de Beauvoir de ce que j'avais sorti trop d'argent pour la payer... Et pourtant, je ne suis pas un nabab. Non, je crois que si j'aime avoir beaucoup d'argent sur moi, ça correspond d'une certaine manière à la façon dont je vis dans mes meubles, à la façon dont j'ai sur moi mon vêtement de tous les jours, presque toujours le même, mes lunettes, mon briquet, mes cigarettes.

C'est l'idée d'avoir sur moi le plus de choses possible me définissant pour ma vie entière, tout ce qui représente ma vie quotidienne en ce moment. L'idée, donc, d'être tout entier dans le moment présent ce que je suis et de ne dépendre de personne, de n'avoir rien à demander à qui que ce soit, d'avoir tous mes possibles à ma disposition immédiate. Ça représente une sorte de manière de me sentir supérieur aux gens, ce qui est évidemment faux, et je le sais parfaitement.

— *Souvent aussi vous donnez des pourboires nettement excessifs.*

— Toujours.

— *Ça peut être gênant pour ceux qui les reçoivent.*

— Là, vous exagérez.

— *Ce n'est pas à vous que j'apprendrai qu'il faut que la réciprocité soit possible pour que la générosité ne soit pas d'une certaine façon humiliante.*

— La réciprocité n'est pas possible, mais la gentillesse l'est. Les garçons de café apprécient que je leur donne des gros pourboires, et me le rendent par la gentillesse. Mon idée c'est que, du moment qu'un homme vit de nos pourboires, je veux lui donner le plus que je peux, parce que je pense que si j'ai à faire vivre un homme, il faut qu'il vive bien.

— *Vous avez gagné énormément d'argent...*

— J'ai gagné de l'argent, oui.

— *Si on faisait le compte de ce que vous avez gagné, on trouverait une somme considérable. Qu'en avez-vous fait?*

— Je serais bien en peine de le dire. J'en ai donné aux gens, j'en ai dépensé pour moi, largement. Largement, ça veut dire des livres, des voyages — je dépense beaucoup pour les voyages. Avant, quand j'avais davantage

d'argent que maintenant, j'avais toujours tendance à en
emporter avec moi plus qu'il n'était nécessaire.
— *Par peur de manquer?*
— Peut-être un peu. Ma grand-mère me disait toujours en me donnant de l'argent : « Si tu casses une
vitre, tu auras un sou sur toi. » Il m'en est resté
quelque chose. Aujourd'hui encore, quand il ne reste
plus grand-chose sur mon compte, je ne suis pas
bien content. Ce qui est le cas actuellement. Et j'ai
déjà connu des périodes où je n'avais pas le rond. Une
fois ma mère m'a donné douze millions pour payer
mes impôts. Si vous voulez, j'ai toujours dépensé plus
d'argent que je n'en avais... Je ne prévoyais pas mes
impôts... Depuis quelques années, Gallimard retient sur
mon compte de quoi payer le fisc...
— *Et à quoi dépensez-vous votre argent?*
— Pour moi-même, à part les voyages, je dépense
finalement assez peu. Le restaurant une fois par jour,
mais toujours accompagné — ça fait dix mille francs
par jour —, les cigarettes, très rarement des vêtements,
les livres je les reçois — j'en ai acheté beaucoup, mais il
y a longtemps de cela —, la femme de ménage, un appartement relativement coûteux — deux cent mille francs
de loyer mensuel. Mais enfin, ça ne représente pas ce
que je dépense par mois.
— *Combien dépensez-vous par mois?*
— En comptant tout? Il y a des gens qui dépendent de
moi financièrement : ça fait en tout un million et demi
d'anciens francs par mois de frais fixes, plus ce que je
dépense pour moi, environ 300 000 anciens francs. Donc,
au total, à peu près 1 800 000 anciens francs par mois.
Et, en effet, Puig sort chaque mois les 725 000 anciens
francs de mensualité que me verse Gallimard pour mes
livres, plus, en général, un million.
— *Et ce million, d'où vient-il?*
— De la Société des Auteurs, d'une part, pour celles

de mes œuvres qui sont représentées en France ou adaptées pour la radio ou la télévision, et de Gisèle Halimi (qui est mon avocate et à ce titre s'occupe de mes contrats avec l'étranger), d'autre part, pour mes pièces ou pour des films, des interviews, etc. Tout ça me rapporte beaucoup plus que mes livres proprement dits. L'année dernière, je crois qu'il a fallu payer quinze millions au fisc. Et puis, j'ai une retraite de profession libérale, qui représente environ 800 000 anciens francs tous les six mois. Ce qui me rapporte le plus, c'est ce qui passe par Gisèle Halimi : ça vient deux fois dans l'année et, en général, c'est beaucoup, plusieurs millions. Mais actuellement il n'y a plus rien et, pour la première fois, je me demande comment je vais me débrouiller.

— *Plus question donc de venir en aide à des groupes, comme vous l'avez fait avant, par exemple pour « Libération »?*

— Ça non, je ne le peux plus.

— *Simone de Beauvoir gagne-t-elle autant que vous?*

— Moins, mais c'est beaucoup aussi.

— *Et vous ne faites plus bourse commune?*

— Non, il n'y a pas de raison de le faire. Elle dépense d'ailleurs moins que moi.

— *Est-ce que vous pensez que ce rapport à l'argent, de façon générale, est significatif, et que si on en connaissait les détails et les interprétait adroitement, on découvrirait une vérité sur vous que vous ne soupçonnez pas vous-même?*

— Je ne crois pas. Parce que le fait est que je n'ai jamais traité l'argent pour sa valeur d'argent. Je ne l'ai jamais utilisé pour acheter des actions, ou pour acheter quelque chose de durable.

— *En effet, la peur de manquer dont vous parliez à l'instant, vous auriez pu la conjurer tout autrement : en achetant la sécurité comme font la plupart des gens. Si vous ne l'avez pas fait, est-ce parce que vous étiez* tout à fait sûr, disons à partir de 1945, voyant ce que vous étiez devenu, que vous ne manqueriez jamais plus d'argent?

— En gros, j'ai pensé en effet que la question de l'argent ne se poserait plus pour moi. En fait, elle se posera : si je vis jusqu'à quatre-vingts ans, je vivrai à un moment donné sans aucune autre ressource que les livres que j'ai écrits avant.

— Y a-t-il des travaux que vous ayez faits d'abord pour gagner de l'argent?

— Il y en a eu. J'en vois un en tout cas, c'est le scénario sur Freud, que j'ai écrit pour John Huston. Je venais de découvrir que je n'avais plus d'argent — c'est là je crois que ma mère m'avait donné douze millions pour payer mes impôts. Ils étaient payés, je ne devais plus rien à personne, mais je n'avais plus le sou. A ce moment-là, on m'a dit que Huston voulait me voir. Il est arrivé un matin en me disant : « Je vous propose de faire un film sur Freud et je vous paye vingt-cinq millions. » J'ai dit oui et j'ai reçu vingt-cinq millions.

— Et si ça avait été un cinéaste obscur ou sans talent qui vous avait fait cette proposition, vous auriez accepté quand même?

— Non. Déjà il y avait dans ce projet quelque chose d'assez comique, c'est qu'on me demandait d'écrire sur Freud, le grand maître de l'inconscient, à moi qui avais passé ma vie à dire que l'inconscient n'existait pas. D'ailleurs, au début, Huston ne voulait pas que je parle de l'inconscient. Et en définitive, c'est encore sur cette question qu'on s'est séparés. Ce que le travail sur ce film m'a surtout rapporté, c'est une meilleure connaissance de Freud, et il m'a amené à repenser ce que je pensais de l'inconscient.

— Changeons de sujet. Vers 1967, vous disiez : « La Pléiade est une pierre tombale, je ne veux pas qu'on

m'enterre de mon vivant. » Plus tard, vous avez changé
d'avis et nous allons bientôt, Michel Rybalka et moi,
publier vos romans dans la Pléiade. Pourquoi êtes-vous
revenu sur cette première décision?

— Surtout sous l'influence du Castor, et d'autres aussi
à qui j'avais demandé ce qu'ils en pensaient et qui m'ont
dit que ce serait très bien. Et puis la Pléiade a publié
d'autres auteurs vivants, elle a donc moins ce caractère
de pierre tombale. Être publié dans la Pléiade représente
simplement le passage à un autre type de célébrité : je
passe parmi les classiques, alors qu'avant j'étais un
écrivain comme d'autres.

— *Une consécration en somme?*

— C'est le mot, oui. Ça me fait plutôt plaisir. Et il est
vrai que j'ai hâte de voir publier cette Pléiade. Je pense
que ça vient de l'enfance, où la célébrité c'était être
publié dans une grande édition bien soignée que les
gens se disputent. Il doit rester quelque chose de ça :
on paraît dans la même collection que Machiavel... Et
puis, en tant que collection avec appareil critique, j'aime
bien la Pléiade. Je la possède presque tout entière.
Depuis longtemps, Robert Gallimard me fait donner
tous les volumes qui paraissent et ce sont les seuls livres
que je refuse obstinément de prêter. Je m'en suis beaucoup servi et je lisais toujours toutes les notes, parce
que, en principe, ces notes épuisent le savoir contemporain touchant une œuvre, donc me donnent des choses
que je ne sais pas.

— *Cependant, paraître dans la Pléiade, ça représente*
une sorte de fermeture de votre œuvre.

— Cette fermeture est réelle : je vais publier ce dernier
livre d'entretiens autobiographiques, les émissions de
télévision seront peut-être faites — vous savez toutes les
difficultés qu'on a — et puis après, qu'est-ce que je peux
faire? Je ne peux pas écrire un roman d'amour! Je pense
que je pourrai peut-être tirer un volume encore de-ci,

de-là, en écrivant sur certaines choses que je pense; mais enfin, le gros est fait.

— *C'est de ce point de vue-là que ça me paraît un peu paradoxal que vous ayez refusé la proposition que Rybalka et moi vous avions faite de publier un volume de vos textes philosophiques inédits, comme la « Psyché », la « Morale » de 47-49, les deux chapitres inédits de la* Critique de la raison dialectique.

— Ça n'a jamais complètement abouti. Dans la « Morale », il y avait une idée qui devait passer, et qui n'a pas été écrite. Ce que j'ai écrit était une première partie qui devait introduire une idée principale et là je suis tombé sur un bec. Et la plupart de mes cahiers sont perdus. Là, il y aurait eu de quoi publier. Il y en a un qui existe, et les autres je ne sais pas où ils sont.

— *Ce que je voulais dire, c'est que votre refus indique un autre type de relation à votre œuvre. Il y a d'une part ce qui a déjà été publié — et que vous souhaitez voir repris dans la Pléiade, pour que ce soit le plus lu possible — et qui a donc un caractère définitif et fermé; et d'autre part, il y a ces inédits. Or, vous avez toujours écrit avec un but principal, celui d'avoir des lecteurs, et votre figure vous était finalement indifférente. Mais quand je vous ai dit que nous souhaitions publier vos écrits philosophiques inédits, parce que nous les jugeons intéressants, vous m'avez répondu : « Non, vous les publierez quand je serai mort. » Alors, ce que je comprends mal, c'est en quoi ces textes, du point de vue du lecteur, seront différents lorsque vous ne vivrez plus.*

— Ils seront plus intéressants, dans la mesure où ils représenteront ce que, à un moment donné, j'ai voulu faire et que j'ai renoncé à terminer, et c'est définitif. Tandis que, tant que je suis vivant — sauf si je suis cacochyme, si je ne peux plus rien faire du tout —, il reste une possibilité que je les reprenne ou que je dise en quelques mots ce que je voulais en faire. Publiés après ma mort ces textes restent inachevés, tels qu'ils sont, obscurs, puisque j'y formule des idées qui ne sont pas toutes développées. Ce sera au lecteur d'interpréter où elles auraient pu me mener. De mon vivant, au contraire, il y a cette possibilité que je reprenne moi-même ces idées pour les mener dans une autre direction. Si je disparais, ces textes restent comme ils étaient vraiment dans ma vie, et les obscurités demeurent, même si elles n'étaient peut-être pas des obscurités pour moi... Je vous laisse publier les inédits qui sont complètement morts, comme ces écrits de jeunesse que vous donnez dans la Pléiade et où je ne me reconnais même pas, ou plutôt, je les reconnais avec une sorte de surprise, comme les textes d'un étranger qui m'aurait été familier il y a très longtemps.

— *Le paradoxe, apparent, dont je parlais, c'est au fond celui-ci : d'une part, vous considérez que votre œuvre est achevée, et, d'autre part, du moment que vous êtes vivant, vous voulez en garder le contrôle. Et donc, d'une certaine façon, vous considérez que cette œuvre vous appartient davantage qu'à vos lecteurs.*

— C'est très compliqué de savoir à qui appartient l'œuvre. Elle appartient à l'auteur, et en même temps elle est au lecteur, c'est très difficile à concilier. Et puis le lecteur ne la reconnaît que très rarement pour sienne, alors que l'écrivain, lui, la tient pour sienne. Je pense quant à moi que l'œuvre d'un homme lui appartient jusqu'à sa mort consciente — ça veut dire sa mort réelle, conscience et corps, ou sa folie si elle est définitive. Mais tant qu'il est vivant, l'œuvre qu'il a écrite lui appartient. Elle lui appartient en particulier si elle n'est pas finie, parce que — par hypothèse — il pourrait s'amuser à la continuer. En ce qui me concerne, c'est vrai pour la « Morale » et pour la *Critique de la raison dialectique*. Surtout pour la « Morale ». Parce que pour la *Critique,* il y a une question de temps aussi : il faudrait que je refasse de l'histoire.

— *Mais, pour ce qui concerne ces inédits, quelles consignes donnez-vous à vos héritiers?*

— Je n'ai pas encore fait de testament, mais je dirais : qu'ils laissent faire les éditeurs et les gens que j'aurai constitués comme gardiens de mon œuvre et qui n'auront rien à voir avec ma famille et mes proches. A vrai dire, cela ne me préoccupe guère, il n'y a pas tellement d'inédits.

— *Il existe un grand nombre de manuscrits de vous dispersés un peu partout, et qui vont, sans doute, resurgir un jour. Et il y a certainement pas mal de lettres. Vous nous aviez dit, il y a quelques années, que, comme pour Flaubert, vous souhaitiez que le lecteur puisse avoir accès à tout. Est-ce toujours ce que vous pensez?*

— Pour tout vous dire, je m'en fous. Mes lettres ne sont pas les lettres de Mme de Sévigné, donc il n'y a pas lieu de s'ébaubir. Je n'ai jamais écrit une lettre en pensant qu'elle serait publiée, jamais je n'ai fait du style, j'écrivais mes lettres comme ça me venait. Celles que j'ai écrites au Castor pourraient être publiées, si on les retrouve — car vous savez que, mises à part celles qu'elle vous a données pour la Pléiade, elle en a perdu au moins deux cents pendant l'exode. Il y a d'autres lettres qui ont disparu, et qui devaient être assez drôles, ce sont les lettres à « Toulouse », Simone Jollivet, la compagne de Dullin, avec qui, comme vous savez, j'avais eu une longue histoire pendant mes années d'École normale. Je lui en ai écrit des tas, et elle les a gardées jusqu'il y a quelques années avant sa mort, et puis un jour, elle a tout brûlé. J'y racontais des choses sur l'École, et je développais des petites idées. J'étais Vautrin, et elle Rastignac. Enfin, à une exception près, je ne vois aucune objection à ce que les correspondances que j'ai pu avoir — ce sont d'ailleurs uniquement des correspondances avec des femmes — soient un jour publiées, mais, vraiment, qu'elles le soient ou non c'est le cadet de mes soucis.

— *Vous n'avez jamais voulu avoir de disciples. Pourquoi?*

— Parce qu'un disciple, selon moi, c'est quelqu'un qui reprend la pensée d'un autre sans rien lui ajouter de neuf ou d'important, sans la prolonger par un travail personnel qui l'enrichit, la développe et la fait avancer. Par exemple, je ne considère pas du tout que le livre de Gorz, *Le Traître*, soit l'ouvrage d'un disciple. Si le livre m'a intéressé — et c'est pour ça que je l'ai préfacé — ce n'est pas parce que j'y retrouvais certaines de mes idées, une façon d'essayer de comprendre un homme en totalité, c'est parce que j'y apprenais des choses de lui : c'est ce qui venait de lui qui m'intéressait et pas ce qui pouvait venir de moi. C'est un très bon livre, ça veut dire qu'il était neuf.

— *Et Francis Jeanson?*

— Il a écrit des livres sur moi, c'est différent; les derniers sont d'ailleurs moins intéressants : je crois que lui-même s'intéresse maintenant à autre chose et c'est sur ça qu'il ferait mieux d'écrire. Non, je ne vois personne à l'heure actuelle qui pense de manière neuve *à partir* de moi.

— *Pierre Victor, vous ne le considérez pas comme un disciple?*

— Absolument pas. Il est venu à moi non pas à travers mes ouvrages mais pour un motif politique précis : il me demandait de prendre la direction de *La Cause du peuple* pour que le journal puisse continuer à paraître. Et quand je l'ai connu, en 1970, il était assez éloigné de mes idées : il venait d'un autre horizon intellectuel, le marxisme-léninisme althussérien, qui l'avait formé. Il avait lu certains de mes ouvrages philosophiques mais il ne les acceptait pas du tout totalement. Alors, j'ai eu la chance d'avoir affaire avec lui à une pensée qui était solide, qui se tenait, et qui s'opposait à la mienne sans la rejeter en bloc. C'est la condition pour avoir un rapport vrai entre deux intellectuels, un rapport qui leur permette d'avancer mutuellement. Nous avons eu ensemble des discussions sur la liberté dont il est, je crois, sorti quelque chose.

— *Et puis, surtout, il me semble que vous avez vu en lui l'incarnation d'un intellectuel de type nouveau, réunissant en lui et dépassant deux figures jusqu'alors séparées, celle de l'intellectuel classique, que d'une certaine façon vous représentiez, et celle du militant, de l'homme d'action.*

— Si vous voulez. Pierre représentait à la fois l'activité théorique radicale et autonome — c'est-à-dire indépendante de toute consigne de parti — et le militant politique lié à une action de masse concrète. Maintenant, vous me direz — et vous auriez raison — que Pierre était un chef et que par là même il contredisait ce à quoi je pense qu'il faut arriver, c'est-à-dire une égalité complète entre les membres d'un groupe et — au-delà — d'une société. Il est certain que l'histoire de mes rapports avec l'ex-Gauche prolétarienne est surtout l'histoire de mes rapports avec un homme, Pierre, qui était le chef de la G.P. et qui exerçait sur le groupe une autorité considérable. Une autorité dont il a fini par se rendre compte qu'elle était nocive. C'est précisément l'une des raisons pour lesquelles l'ex-G.P. s'est autodissoute. Nous avons eu beaucoup de discussions à ce sujet et — cela se voit d'ailleurs dans *On a raison de se révolter* — Pierre s'est petit à petit rapproché de mes idées, en particulier sur la liberté et le refus des hiérarchies, de toutes les hiérarchies, le refus de la notion même de chef.

— *Vous parliez de transformation mutuelle. En l'occurrence, c'est lui qui a changé, pas vous. Alors,*

*ne s'agit-il pas encore d'une relation père-fils, où c'est
le père qui transforme le fils, à défaut de l'avoir formé?*

— Mais je ne considère pas du tout Pierre comme mon
fils, pas plus qu'il ne me considère comme un père! Ce
serait une erreur complète que d'interpréter ainsi nos
rapports. Nous avons une relation d'égal à égal et qui,
malgré la différence d'âge, n'a absolument rien à voir
avec un rapport filial. Je vais vous dire : je n'ai jamais
souhaité avoir un fils, jamais, et je ne recherche pas
dans mes rapports avec des hommes plus jeunes que moi
un substitut au rapport paternel.

— *Le travail que fait Pierre à l'heure actuelle — ces
émissions historiques avec vous, le travail théorique
qu'il a entrepris —, en quoi le distingue-t-il de l'intellectuel classique? Est-ce que cela ne représente pas un
échec qui met en cause l'idée même de l'intellectuel de
type nouveau?*

— Non, je ne crois pas. Cela représente simplement un
moment — un moment provisoire — de la constitution
de l'intellectuel nouveau. Nous sommes dans une période
de démobilisation, de reflux des forces révolutionnaires.
Pierre ne sait pas exactement où il va mais il cherche
dans une direction que son expérience de militant l'aide
à préciser. Je suis sûr qu'il en sortira quelque chose,
mais ça ne dépend évidemment pas que de lui. Le travail qu'il fait actuellement est dans la continuité de ce
qu'il a fait avant, ce n'est ni une rupture — même s'il
conteste aujourd'hui un grand nombre de ses positions
antérieures — ni une régression.

— *Pourquoi n'avez-vous pas fait entrer Pierre dans le
Comité de direction des* Temps modernes?

— La question ne s'est pas posée. Pierre avait d'autres
activités. Et puis *Les Temps modernes* existent depuis
trente ans, le comité de direction est constitué de gens
qui ont — Simone de Beauvoir et moi exceptés — entre
cinquante et soixante ans : ils ont vécu un demi-siècle

d'histoire de la France qui les a formés et que Pierre
n'a pas connu; ils ont entre eux des rapports de familia-
rité, tout un passé commun, des habitudes de pensée
et un langage communs. Ce sont des gens qui ont des
personnalités très affirmées, et d'ailleurs très différentes. Ils ont des idées élaborées depuis longtemps,
des options définies; ils ne tiennent pas tellement à les
changer. Ceci dit, je suis certain qu'ils auraient accueilli
Pierre avec courtoisie et qu'ils auraient reconnu sa
valeur. Ils auraient certainement discuté avec lui en
s'intéressant à ce qu'il aurait eu à dire. Nous avons
d'ailleurs ouvert *Les Temps modernes* aux maos pour
un numéro spécial et nous avons publié plusieurs textes
qui allaient dans leur sens. Mais nous avons aussi
publié des articles — par exemple contre la politique
étrangère de la Chine — qui étaient à l'époque inaccep-
tables pour les maos.

— *Vous-même, vous vous intéressez beaucoup moins
qu'avant à cette revue qui est pourtant la vôtre?*

— En principe, j'assiste aux réunions du comité qui
ont lieu tous les quinze jours chez Simone de Beauvoir. De temps en temps, elle doit bien un peu m'y forcer; elle dit : « Sartre, ça fait trois fois déjà que vous
n'êtes pas venu, cette fois vous devez... » Alors j'y vais,
j'écoute la présentation des articles et je donne mon
opinion comme les autres membres du comité et on en
tient compte, mais elle n'a pas plus de poids que celle
des autres. L'année dernière, je voulais qu'on publie un
texte d'un ancien dirigeant de la Gauche prolétarienne,
au sujet de l'introduction du taylorisme en U.R.S.S.
par Lénine — l'auteur disait en gros qu'il n'y avait pas
moyen de faire autrement. Nous n'étions pas d'accord
entre nous sur ce texte et finalement il n'a pas été
publié; et pourtant, j'avais demandé qu'il le soit, même
si je n'approuvais pas entièrement son contenu. Mais
ça arrive rarement qu'on ne soit pas d'accord. Pin-

gaud et Pontalis — qui représentaient un peu la droite
des *Temps modernes* — ont démissionné en 1970 parce
qu'ils désapprouvaient la publication d'un article où
Gorz disait qu'il fallait détruire l'Université. Il est
arrivé, depuis, qu'un des membres du comité parle de
démissionner, mais je réussis à arranger les choses en
prodiguant les apaisements nécessaires. Dans l'ensemble, nous nous entendons bien, nous nous compre-
nons à demi-mot et, sur l'essentiel, l'accord se fait tout
seul.

— *Au prix d'éviter les sujets qui pourraient vous
diviser. Par exemple,* Les Temps modernes *n'ont pas
pris position sur l'élection présidentielle de l'année
dernière.*

— Eh bien, nous n'étions pas d'accord entre nous :
Simone de Beauvoir, Bost et Lanzmann voulaient voter
Mitterrand; Pouillon, Gorz et moi ne voulions pas voter,
pas exactement pour les mêmes raisons d'ailleurs.
Mais une revue n'a pas à prendre une position dans
toutes les circonstances de la vie politique. L'année
d'avant, pour les législatives, nous avions nettement
pris position contre le vote, contre l'électoralisme du
Programme commun. Mais nous ne sommes pas un
groupe politique avec une ligne étroitement définie.
L'homogénéité d'une revue telle que *Les Temps
modernes,* qui est d'extrême gauche, bien sûr, mais qui
est d'abord une revue de réflexion et de témoignage,
cette homogénéité se situe à un autre niveau : elle se
marque à la longue, par l'ensemble des textes que nous
publions, même si ceux-ci peuvent parfois paraître
incompatibles à première vue. C'est une homogénéité
plus profonde, que nous pouvons nous-mêmes ne pas
apercevoir tout de suite, mais qui tient à la combinai-
son, sur des bases communes, de nos différences. Les
lecteurs la perçoivent bien, j'imagine, puisque nous
avons un public. Un public qui est d'extrême gauche

certainement, mais dont nous ne savons pas grand-chose, qui s'est renouvelé au cours des ans, mais qui existe : la revue a en gros le même tirage qu'à ses débuts, 11 000 exemplaires. Chacun de nous y marque sa présence par le choix des textes qu'il propose, car, à part Pouillon et Gorz, qui donnent de temps en temps un article, aucun de nous n'y écrit plus guère pour le moment. Ainsi, Simone de Beauvoir est surtout présente par la chronique du « sexisme ordinaire » que rédigent ses camarades féministes révolutionnaires. Et elle lit tous les articles que les autres proposent, elle en propose elle-même. Elle dirige la revue très scrupuleusement et fermement. Cependant, le travail de direction effective, le travail pratique − ce que nous appelons « faire un numéro » − est assuré actuellement surtout par Pouillon et Gorz, à tour de rôle. Le seul problème que nous avons, c'est de maintenir un équilibre de façon qu'il n'y ait pas une individualité qui finisse par imprimer *sa* ligne à la revue. Et aussi de garder un contrôle sur les numéros − ils sont assez fréquents − qui sont entièrement faits par des gens que nous invitons, tout en leur laissant une grande liberté, puisque nous les invitons. En général ça marche bien.

Pour moi, *Les Temps modernes* ont été importants après la guerre, puis de nouveau pendant la guerre d'Algérie, et un peu de nouveau après 68. En somme, si je m'y intéresse moins depuis quelque temps, c'est parce que la revue vit de sa vie propre, qu'il n'y a pas de décision majeure à prendre, sinon peut-être celle de la saborder. Mais je ne vois aucune raison valable de le faire. Les autres y tiennent, c'est à mon avis une bonne revue, elle est lue, elle publie souvent des textes que nous sommes les seuls à vouloir publier. Cependant, je ne vois aucune raison non plus de la transformer en y introduisant des gens plus jeunes et qui auraient des

points de vue différents des nôtres : autant alors créer
une autre revue.

— *Touchant la politique internationale, vous avez
depuis un an pris à titre personnel un certain nombre
de positions. Sur le plan national, rien. Ne pensez-vous
pas que si la gauche avait gagné les élections présidentielles, vous seriez aujourd'hui par rapport au pouvoir un opposant beaucoup plus virulent?*

— C'est très difficile à dire. Si Mitterrand l'avait
emporté aux présidentielles, il est évident qu'il serait
aujourd'hui à couteaux tirés avec les communistes. Et
puis les gauchistes se seraient très probablement ren-
forcés. Ce qui est certain c'est que j'aurais été opposé
au parti socialiste et que j'aurais été en liaison avec
des groupes d'extrême gauche qui se seraient nécessairement opposés aussi bien aux communistes qu'aux
socialistes. Mais il est impossible de savoir quelle
aurait été la force des mouvements sociaux qu'une
victoire de la gauche aurait déclenchés. Vous ne pouvez pas me demander de prendre position sur des si.
Pour ce qui concerne les problèmes politiques français,
c'est vrai que je ne vois pas grand-chose que je puisse
faire : c'est tellement moche, ce qui se passe en France
actuellement! Et il n'y a pas d'espoir dans l'immédiat,
aucun parti ne représente le moindre espoir...

— *En général, vous faites des déclarations politiques
optimistes, quand bien même, en privé, vous êtes très
pessimiste.*

— Oui, je le suis. Et mes déclarations ne sont jamais
très optimistes, car pour chaque événement social qui
nous importe, qui nous touche, je suis sensible aux
contradictions manifestes ou encore peu apparentes;
je vois les erreurs, les risques, tout ce qui peut empêcher une situation d'évoluer dans un sens favorable à la
liberté. Et là, je suis pessimiste parce que chaque fois
les risques sont en effet énormes. Voyez le Portugal,

où le type de socialisme que nous voulons a aujourd'hui une petite chance qu'il n'avait pas du tout avant le 25 avril et court pourtant les plus grands risques d'être encore repoussé à très longtemps. Si je me place sur un plan général, je me dis : ou bien l'homme est foutu — et, dans ce cas, non seulement il est foutu, mais il n'a jamais existé : les hommes n'auront été qu'une espèce, comme les fourmis — ou bien l'homme se fera en réalisant le socialisme libertaire. Quand j'envisage les faits sociaux particuliers, j'ai tendance à penser que l'homme est foutu. Mais si je considère l'ensemble de toutes les conditions qu'il faudrait pour que l'homme soit, je me dis que la seule chose à faire, c'est de souligner, de mettre en valeur et de soutenir de toutes ses forces ce qui, dans les situations politiques et sociales particulières, peut amener une société d'hommes libres. Si on ne fait pas ça, on accepte que l'homme soit de la merde.

— *C'est ce que disait Gramsci : « Il faut lutter avec le pessimisme de l'intelligence et avec l'optimisme de la volonté. »*

— Ce n'est pas tout à fait ainsi que je le formulerais. Il faut lutter, ça c'est vrai. Mais ce n'est pas du volontarisme. Si j'étais convaincu que toute lutte pour la liberté est nécessairement vouée à l'échec, lutter n'aurait aucun sens. Non, si je ne suis pas complètement pessimiste c'est d'abord parce que je sens en moi des exigences qui ne sont pas seulement les miennes mais qui sont, en moi, celles de tout homme. Autrement dit, c'est la certitude vécue de ma propre liberté, en tant qu'elle est la liberté de tous, qui me donne à la fois l'exigence d'une vie libre et la certitude que cette exigence est — de façon plus ou moins claire, plus ou moins consciente — celle de chacun. La révolution qui vient sera très différente des précédentes, elle durera beaucoup plus longtemps, elle sera beaucoup plus dure, plus

profonde. Je ne pense pas seulement à la France :
aujourd'hui je m'identifie aux luttes révolutionnaires
qui se mènent dans le monde entier et c'est pourquoi
la situation française, toute bloquée qu'elle soit à l'heure
qu'il est, ne me pousse pas à un plus grand pessimisme.
Je dis seulement qu'il faudra au moins cinquante ans
de luttes pour des conquêtes partielles de pouvoir populaire sur le pouvoir bourgeois, avec des avancées et des
reculs, des succès limités et des échecs réversibles, pour
arriver finalement à la réalisation d'une nouvelle société
où tous les pouvoirs seront supprimés parce que chaque
individu aura une pleine possession de lui-même. La
révolution n'est pas un moment de renversement d'un
pouvoir par un autre, elle est un long mouvement de
déprise du pouvoir. Rien ne nous en garantit la réussite, rien non plus ne peut nous convaincre rationnellement que l'échec est fatal. Mais l'alternative est bien :
socialisme ou barbarie.

   — *Finalement, comme Pascal, vous faites un pari.*

   — Oui, à la différence que je parie sur l'homme, pas
sur Dieu. Mais, en effet, ou bien l'homme s'écroule
— et alors, tout ce qu'on pourra dire c'est que, durant
les vingt mille ans où il y a eu des hommes, quelques-
uns ont essayé de créer l'homme et ont échoué — ou
bien cette révolution réussit et crée l'homme en réalisant la liberté. Rien n'est moins sûr. Aussi bien le socialisme n'est-il pas une certitude, c'est une valeur : c'est
la liberté se prenant elle-même pour fin.

   — *Ce qui suppose donc une foi?*

   — Oui, dans la mesure où il est impossible de fonder
rationnellement l'optimisme révolutionnaire, puisque
ce qui *est* c'est la réalité présente. Et comment fonder
la réalité de l'avenir? Rien ne me le permet. J'ai une
certitude, c'est qu'il faut faire une politique radicale.
Mais je n'ai pas la certitude qu'elle réussira et ce serait
cela la foi. Je peux connaître mes refus, je peux faire

la démonstration des raisons qu'il y a de refuser cette société, je peux montrer qu'elle est immorale, qu'elle n'est pas faite pour l'homme mais pour le profit et qu'il faut donc la changer radicalement. Tout cela est possible et n'implique pas une foi, mais une action. En tant qu'intellectuel, tout ce que je peux faire c'est d'essayer de gagner le plus possible de gens — c'est-à-dire les masses — à une action radicale pour changer cette société. C'est ce que j'ai essayé de faire et je ne puis dire ni que j'ai réussi ni que j'ai échoué, puisque l'avenir est indéterminé.

— *Vous avez vécu soixante-dix ans de l'histoire du siècle, vous avez traversé deux guerres mondiales, vous avez assisté à des transformations sociales énormes, vous avez vu des espoirs anéantis, d'autres surgir qui n'étaient pas prévisibles. Diriez-vous que nous sommes « mieux partis » qu'au début du siècle ou bien que nous sommes dans une situation où les risques d'échec définitif de l'aventure humaine sont aussi grands qu'avant?*

— Je dirais à la fois que nous sommes plus avancés, que nous commençons à aller vers le moment décisif de l'histoire, c'est-à-dire celui de la révolution, et que les risques sont les mêmes. Autrement dit, je ne vois aucune raison d'être plus optimiste qu'il y a cinquante ou soixante ans. Mais, d'un autre côté, je considère que beaucoup de dangers ont été évités et que, d'une certaine manière, il y a tout de même eu une marche en avant. Si vous aviez connu la période de 14-18 où j'ai commencé à vivre, vous pourriez mesurer comme moi les différences et voir qu'elles sont encourageantes.

— *Malgré les millions de morts de la dernière guerre mondiale, malgré les camps hitlériens, malgré la bombe atomique, malgré le Goulag?*

— Mais oui. N'allez pas croire que les Pharaons n'auraient pas souhaité tuer cinquante millions de leurs ennemis! S'ils ne l'ont pas fait c'est qu'ils ne le pouvaient pas. Le fait que ce soit possible aujourd'hui, c'est presque à nourrir l'optimisme : ça indique un progrès sur un certain plan.

— *Ce qui n'empêche pas que les victimes soient des individus dont la perte est irréparable...*

— Mais je suis bien d'accord : du point de vue des individus le mal subi n'aura jamais de justification. Je dis seulement que l'énormité des chiffres des victimes en ce siècle est aussi fonction de l'accroissement de la population mondiale et qu'il n'y a pas lieu d'en tirer un quelconque désespoir.

— *Avez-vous toujours été sincère en politique?*

— Autant que faire se peut. Il y a eu des circonstances où, la politique étant ce qu'elle est, il m'est sans doute arrivé de soutenir des idées dont je n'étais pas très sûr, mais je ne crois pas avoir jamais affirmé délibérément le contraire de ce que je pensais.

— *Même concernant l'U.R.S.S.?*

— Ah si, là, en effet, après ma première visite en U.R.S.S., en 1954, j'ai menti. Enfin, « menti » est peut-être un bien grand mot : j'ai fait un article — que Cau a d'ailleurs fini, parce que j'étais malade, je venais d'être hospitalisé à Moscou — où j'ai dit des choses aimables sur l'U.R.S.S. que je ne pensais pas. Je l'ai fait d'une part parce que j'estimais que quand on vient d'être invité par des gens, on ne peut pas verser de la merde sur eux à peine rentré chez soi, et, d'autre part, parce que je ne savais pas très bien où j'en étais par rapport à l'U.R.S.S. et par rapport à mes propres idées.

— *Mais quand vous êtes allé en U.R.S.S. la première fois, connaissiez-vous l'existence des camps?*

— Je la connaissais, puisque je les avais dénoncés quatre ans plus tôt, avec Merleau-Ponty. D'ailleurs c'était une plaisanterie que me faisaient les écrivains qui me recevaient, ils me disaient : « Surtout n'allez pas

voir les camps sans nous! » Mais je ne savais pas qu'ils
existaient encore après la mort de Staline, ni surtout
que c'était le Goulag! Personne ne le savait avec certitude en Occident à ce moment-là...

— *Alors ne craignez-vous pas d'apprendre un jour
qu'il y a un Goulag en Chine?*

— Mais on l'a déjà un peu appris : vous avez lu le
livre de Jean Pasqualini sur les camps de prisonniers
chinois! Quand j'étais en Chine, en 1955, on m'a montré des prisons mais elles n'avaient rien à voir avec ce
qui est raconté là et que je ne mets pas en doute. Mais
je pense que le phénomène concentrationnaire en Chine
est beaucoup moindre qu'en U.R.S.S., même s'il est
sans doute terrible...

— *Et vous ne pensez pas qu'on risque d'avoir de sales
surprises?*

— Oh si, je le pense. C'est pourquoi il ne faut pas
mettre sa foi en la révolution chinoise, pas plus qu'en
n'importe quelle révolution aujourd'hui. Mais, encore
une fois, ça n'empêche pas l'optimisme.

— *Un des seuls problèmes politiques au sujet duquel
vous avez maintenu envers et contre tout une intran-
sigeance inentamable est le conflit israélo-arabe. Et
vous l'avez fait au prix d'une certaine solitude par
rapport à vos camarades de lutte. Je crois qu'il y a
quand même beaucoup de gens qui vous savent gré de
cette indépendance.*

— Je ne crois pas qu'on m'en sait gré. Il me semble
que c'est plutôt le contraire : chacun des deux camps
souhaiterait que je me désolidarise de l'autre. Mais j'ai
des amis des deux côtés et je reconnais le bon droit de
chacun des deux. Ma position, je le sais, est purement
morale, mais c'est précisément un des cas qui prouvent
qu'il faut refuser le réalisme politique, parce que celui-ci
conduit à la guerre. Je dirais que le conflit israélo-
arabe, avec les implications affectives qu'il avait pour

moi, a joué un rôle pour me faire abandonner le réalisme politique qui avait été le mien dans une certaine
mesure avant 68. Et là, en effet, je n'étais pas d'accord
avec les maos.

— *Concernant l'influence de vos idées, j'ai fait l'autre
jour une curieuse expérience. J'étais au sommet de la
tour Montparnasse et je regardais passer une manifestation de lycéens. Une femme d'environ trente-cinq ans,
employée de la tour, se trouvait à côté de moi. Nous
nous sommes mis à parler de la manifestation. Elle
était contre. Parce qu'elle réprouvait toute révolte.
Et si elle réprouvait toute révolte, c'est parce que,
disait-elle, elle s'estimait totalement responsable de
son destin : elle n'aimait pas particulièrement sa vie,
mais elle estimait qu'à chacune des étapes qui l'avaient
menée où elle était aujourd'hui, elle avait toujours eu
le choix. C'est librement, par exemple, qu'elle avait
choisi de se marier à dix-sept ans au lieu de faire des
études. Et chacun est libre comme je le suis, disait-elle,
et donc responsable de sa situation. Ce qui m'a frappé
c'est qu'elle employait presque textuellement un certain nombre de vos formules les plus connues. Qu'au-
riez-vous dit à cette femme qui vous avait peut-être lu
au lycée et qui vous devait peut-être les idées qui jus-
tifiaient sa résignation?*

— Eh bien, je lui aurais parlé de l'aliénation. Je lui
aurais dit que nous sommes libres mais que nous avons
à nous libérer et qu'il faut donc que la liberté se révolte
contre les aliénations. Ça n'est pas ce que vous auriez
dit?

— *Si, bien sûr, c'était bien en gros le sens de ce que
je lui ai dit. Mais elle n'en démordait pas...*

— Ah bien, à ce moment-là, ça la regarde. Et comment
ça s'est terminé?

— *Comme une conversation de ce genre se termine
toujours : on s'est quittés. Vous savez bien que pour*

*changer quelqu'un, il faut énormément l'aimer. Mais
je voulais vous demander ceci : n'avez-vous pas parfois le sentiment que la part la plus répandue de
votre pensée — les notions de liberté et de responsabilité individuelle — est précisément celle qui peut
le plus faire obstacle à une prise de conscience politique
réelle?*

— C'est possible. Mais je pense que ce genre de malentendus arrive toujours quand une œuvre tombe dans le
public. La partie la plus vivante et la plus profonde
d'une pensée est à la fois celle qui peut apporter le
plus de bien et celle qui peut apporter, si elle est mal
comprise, le plus de mal. Je pense qu'effectivement une
théorie de la liberté qui n'explique pas en même temps
ce que sont les aliénations, dans quelle mesure la liberté
peut se laisser manipuler, dévier, retourner contre elle,
une telle théorie peut très cruellement tromper quelqu'un qui ne comprend pas tout ce qu'elle implique et
qui croit que la liberté est partout. Mais si on lit bien
ce que j'ai écrit, je ne crois pas qu'on puisse faire une
telle erreur.

Je m'en expliquerai sur le plan politique, dans mes
émissions. Ce sera un des grands thèmes des deux ou
trois émissions de conclusion. Mais je l'expliquerai
alors sur des cas précis, concrets, ce ne sera pas de la
philosophie, ou du moins ça ne sera pas exprimé philo-
sophiquement.

— *Et vous pensez que vous convaincrez les gens?*

— Je n'en sais rien. J'essaierai.

— *Dans son dernier article des* Temps modernes,
*François George écrit à peu près ceci : « Si mes idées ont
échoué à convaincre tout le monde, c'est sans doute
qu'elles n'étaient pas tout à fait vraies. » Diriez-vous une
phrase de ce genre?*

— C'est bien dit, et c'est ce que tout le monde pense
à un moment donné. Ça ne prouve pas que ce soit vrai;

il y a des idées qui mettent plus longtemps à convaincre. Chacun a des moments de découragement. Alors je pense qu'en effet, à de tels moments, j'aurais pu dire quelque chose de ce genre. Mais c'est à la fois faire trop d'honneur à « tout le monde » — puisque c'est la vérité des idées qui est ici mise en question et non tout le monde — et admettre que les idées vraies triomphent tout de suite — ce qui est également faux. Imaginons que Socrate ait dit une phrase de ce genre en mourant, il y aurait de quoi rire! Sa pensée a agi sur le monde, mais longtemps après.

— *Et vous, vous avez l'impression que votre pensée a agi?*

— J'espère qu'elle agira. Je pense qu'on a soi-même peu de données touchant l'importance qu'ont eue ses idées durant sa vie et c'est bien comme ça.

— *Les lettres de lecteurs, par exemple, ne vous indiquent rien à ce sujet?*

— C'est des lettres d'*un* lecteur : qu'est-ce qu'il représente? D'ailleurs, on m'écrit moins souvent maintenant. Pendant un temps, oui, j'ai reçu beaucoup de lettres. Maintenant, on ne m'écrit quasiment plus. Et les lettres que je reçois m'intéressent moins : qu'on me dise qu'on m'aime bien, ça ne me fait pas grand effet, ça ne veut pas dire grand-chose. J'ai eu des correspondances avec des gens que je ne connaissais pas, qui m'écrivaient et à qui je répondais. Et un beau jour ça tournait court, soit qu'ils étaient mécontents d'une de mes réponses, soit qu'ils avaient soudain d'autres occupations. Tout ça m'a donné moins d'illusions sur une lettre que je reçois et qui a l'air sincère. Et puis je reçois pas mal de lettres de fous. J'ignore si la correspondance que recevait par exemple un écrivain comme Gide comprenait la même proportion de fous. Moi en tout cas, depuis que j'ai commencé à publier, j'en ai toujours quelques-uns qui traînent derrière moi. Je ne sais pas si ça tient à ce que j'écris ou si tous les écrivains suscitent les confidences ou les demandes de fous. Après *La Nausée*, beaucoup de gens ont dit que j'étais fou ou que je racontais l'histoire d'un fou : ça a pu tenter certaines gens d'entrer en relation avec moi. Après *Saint Genet* j'ai aussi reçu des lettres de pédérastes, tout simplement parce que j'avais parlé d'un pédéraste et qu'ils se sentaient isolés. Mais, je vous dis, les lettres qu'il m'arrive encore de recevoir ne m'intéressent plus guère.

— *Et vous avez l'impression que c'est ça la vieillesse : l'indifférence?*

— Je n'ai pas dit que j'étais indifférent!

— *Qu'est-ce qui vous intéresse encore vraiment?*

— La musique, je vous l'ai dit. La philosophie et la politique.

— *Mais ça vous excite?*

— Non, il n'y a plus grand-chose qui m'excite. Je me place un peu au-dessus...

— *Y a-t-il quelque chose que vous voudriez ajouter?*

— Tout, en un sens, si vous voulez, et en un autre, rien. Tout, parce que par rapport à ce que nous avons formulé, il y a tout le reste, tout ce qui demanderait à être approfondi avec soin. Mais ça, ce n'est pas dans une interview qu'on peut le donner. C'est ce que je sens chaque fois que je fais une interview. En un sens, c'est frustrant une interview, c'est frustrant parce qu'en effet il y aurait beaucoup de choses à dire. L'interview les fait naître comme leur contraire en même temps que les réponses que l'on fait. Mais, cela dit, je pense que, comme portrait de ce que je suis à soixante-dix ans, c'est ce qu'il fallait.

— *Vous ne conclurez pas, comme Simone de Beauvoir l'a fait, que vous avez été « floué »?*

— Oh non, je ne dirais pas ça. D'ailleurs, elle-même, vous le savez, dit avec raison qu'elle n'a pas voulu dire qu'elle avait été flouée par la vie mais qu'elle se sentait flouée dans les circonstances où elle écrivait ce livre[1], c'est-à-dire après la guerre d'Algérie, etc. Mais moi, je ne dirais pas ça; je n'ai été floué par rien, je n'ai été déçu par rien. J'ai vu des gens, des bons et des méchants — les méchants d'ailleurs ne le sont jamais que par rapport à certains buts —, j'ai écrit, j'ai vécu, il n'y a rien à regretter.

— *En somme, jusqu'ici, la vie a été bonne pour vous?*
— Dans l'ensemble, oui. Je ne vois pas ce que je pourrais lui reprocher. Elle m'a donné ce que je voulais, et, en même temps, elle m'a fait reconnaître que c'était pas grand-chose. Mais qu'est-ce qu'on y peut?

[*L'entretien se termine dans un fou rire provoqué par le ton désabusé de cette dernière déclaration.*]

— Il faut garder le rire. Vous mettrez : « Accompagnement de rires. »

Propos recueillis par Michel Contat
(Texte intégral de l'entretien paru en partie
dans Le Nouvel Observateur,
23 juin, 30 juin et 7 juillet 1975).

---

1. *La Force des choses,* Gallimard, 1963.